COLLECTION FOLIO

D0101081

Patrick Modiano

Un pedigree

Gallimard

Je suis né le 30 juillet 1945, à Boulogne-Billancourt, 11 allée Marguerite, d'un juif et d'une Flamande qui s'étaient connus à Paris sous l'Occupation. J'écris juif, en ignorant ce que le mot signifiait vraiment pour mon père et parce qu'il était mentionné, à l'époque, sur les cartes d'identité. Les périodes de haute turbulence provoquent souvent des rencontres hasardeuses, si bien que je ne me suis jamais senti un fils légitime et encore moins un héritier.

Ma mère est née en 1918 à Anvers. Elle a passé son enfance dans un faubourg de cette ville, entre Kiel et Hoboken. Son père était ouvrier puis aide-géomètre. Son grand-père maternel, Louis Bogaerts, docker. Il avait posé pour la statue du docker, faite par Constantin Meunier et que l'on voit devant l'hôtel de ville d'Anvers. J'ai gardé son *loonboek* de l'année 1913, où il notait tous les navires qu'il déchargeait : le *Michigan*, l'*Élisabethville*, le *Santa Anna*... Il est mort au travail, vers soixante-cinq ans, en faisant une chute.

Adolescente, ma mère est inscrite aux Faucons Rouges. Elle travaille à la Compagnie du gaz. Le soir, elle suit des cours d'art dramatique. En 1938, elle est recrutée par le cinéaste et producteur Jan Vanderheyden pour tourner dans ses « comédies » flamandes. Quatre films de 1938 à 1941. Elle a été girl dans des revues de music-hall à Anvers et à Bruxelles, et parmi les danseuses et les artistes, il y avait beaucoup de réfugiés qui venaient d'Allemagne. À Anvers, elle partage une petite maison sur Horenstraat avec deux amis : un danseur, Joppie Van Allen, et Leon Lemmens, plus ou moins secrétaire et rabatteur d'un riche homosexuel, le baron Jean L., et qui sera tué dans un bombardement à Ostende, en mai 1940. Elle a pour meilleur ami un jeune décorateur, Lon Landau, qu'elle retrouvera à Bruxelles en 1942 portant l'étoile jaune.

Je tente, à défaut d'autres repères, de suivre l'ordre chronologique. En 1940, après l'occupation de la Belgique, elle vit à Bruxelles. Elle est fiancée avec un nommé Georges Niels qui dirige à vingt ans un hôtel, le Canterbury. Le restaurant de cet hôtel est en partie réquisitionné par les officiers de la Propaganda-Staffel. Ma mère habite le Canterbury et y rencontre des gens divers. Je ne sais rien de tous ces gens. Elle travaille à la radio dans les émissions flamandes. Elle est engagée au théâtre de Gand. Elle participe, en juin 1941, à une tournée dans les ports de l'Atlantique et de la Manche pour jouer devant les travailleurs flamands de l'organisation Todt et, plus au nord, à Hazebrouck, devant les aviateurs allemands.

C'était une jolie fille au cœur sec. Son fiancé lui avait offert un chow-chow mais elle ne s'occupait pas de lui et le confiait à différentes personnes, comme elle le fera plus tard avec moi. Le chow-chow s'était suicidé en se jetant par la fenêtre. Ce chien figure sur deux ou trois photos et je dois avouer qu'il me touche infiniment et que je me sens très proche de lui.

Les parents de Georges Niels, de riches hôteliers bruxellois, ne veulent pas qu'elle épouse leur fils. Elle décide de quitter la Belgique. Les Allemands ont l'intention de l'expédier dans une école de cinéma à Berlin mais un jeune officier de la Propaganda-Staffel qu'elle a connu à l'hôtel Canterbury la tire de ce mauvais pas en l'envoyant à Paris, à la maison de production Continental, dirigée par Alfred Greven.

Elle arrive à Paris en juin 1942. Greven lui fait passer un bout d'essai aux studios de Billancourt mais ce n'est pas concluant. Elle travaille au service du « doublage » à la Continental, écrivant les sous-titres néerlandais pour les films français produits par cette compagnie. Elle est l'amie d'Aurel Bischoff, l'un des adjoints de Greven.

À Paris, elle habite une chambre, 15 quai de Conti, dans l'appartement que louent un antiquaire de Bruxelles et son ami Jean de B. que j'imagine adolescent, avec une mère et des sœurs dans un château au fond du Poitou, écrivant en secret des lettres ferventes à Cocteau. Par l'entremise de Jean de B., ma mère rencontre un jeune Allemand, Klaus Valentiner, planqué dans un service administratif. Il habite un atelier du quai Voltaire et lit, à ses heures de loisir, les derniers romans d'Evelyn Waugh. Il sera envoyé sur le front russe où il mourra.

D'autres visiteurs de l'appartement du quai de Conti : un jeune Russe, Georges d'Ismaïloff, qui était tuberculeux mais sortait toujours sans manteau dans les hivers glacés de l'Occupation. Un Grec, Christos Bellos. Il avait manqué le dernier paquebot en partance pour l'Amérique où il devait rejoindre un ami. Une fille du même âge, Geneviève Vaudoyer. D'eux, il ne reste que les noms. La première famille française et bourgeoise chez laquelle ma mère sera invitée : la famille de Geneviève Vaudoyer et de son père Jean-Louis Vaudoyer. Geneviève Vaudoyer présente à ma mère Arletty qui habite quai de Conti dans la maison voisine du 15. Arletty prend ma mère sous sa protection.

Que l'on me pardonne tous ces noms et d'autres qui suivront. Je suis un chien qui fait semblant d'avoir un pedigree. Ma mère et mon père ne se rattachent à aucun milieu bien défini. Si ballottés, si incertains que je dois bien m'efforcer de trouver quelques empreintes et quelques balises dans ce sable mouvant comme on s'efforce de remplir avec des lettres à moitié effacées une fiche d'état civil ou un questionnaire administratif.

Mon père est né en 1912 à Paris, square

Pétrelle, à la lisière du IXe et du Xe arrondissement. Son père à lui était originaire de Salonique et appartenait à une famille juive de Toscane établie dans l'Empire ottoman. Cousins à Londres, à Alexandrie, à Milan, à Budapest. Quatre cousins de mon père, Carlo, Grazia, Giacomo et sa femme Mary, seront assassinés par les SS en Italie, à Arona, sur le lac Majeur, en septembre 1943. Mon grand-père a quitté Salonique dans son enfance, pour Alexandrie. Mais au bout de quelques années, il est parti au Venezuela. Je crois qu'il avait rompu avec ses origines et sa famille. Il s'est intéressé au commerce des perles dans l'île Margarita puis il a dirigé un bazar à Caracas. Après le Venezuela, il s'est fixé à Paris, en 1903. Il tenait un magasin d'antiquités au 5 de la rue de Châteaudun où il vendait des objets d'art de Chine et du Japon. Il avait un passeport espagnol et, jusqu'à sa mort, il sera inscrit au consulat d'Espagne de Paris alors que ses aïeux étaient sous la protection des consulats de France, d'Angleterre, puis d'Autriche, en qualité de « sujets toscans ». J'ai gardé plusieurs de ses passeports dont l'un lui avait été délivré par le consulat d'Espagne à Alexandrie. Et un certificat, dressé à Caracas en 1894, attestant qu'il était membre de la Société protectrice des animaux. Ma grand-mère est née dans le Pas-de-Calais. Son père à elle habitait en 1916 un faubourg de Nottingham. Mais elle prendra, après son mariage, la nationalité espagnole.

Mon père a perdu le sien à l'âge de quatre ans. Enfance dans le Xe arrondissement, cité d'Hauteville. Collège Chaptal où il était interne, même le samedi et le dimanche, me disait-il. Et il entendait du dortoir les musiques de la fête foraine, sur le terre-plein du boulevard des Batignolles. Il ne passe pas son bac. Dans son adolescence et sa jeunesse, il est livré à lui-même. Dès seize ans, il fréquente avec ses amis l'hôtel Bohy-Lafayette, les bars du faubourg Montmartre, le Cadet, le Luna Park. Son prénom est Alberto, mais on l'appelle Aldo. À dix-huit ans, il se livre au trafic d'essence, franchissant en fraude les octrois de Paris. À dix-neuf ans, il demande avec une telle force de persuasion à un directeur de la banque Saint-Phalle de le soutenir pour des opérations « financières » que celui-ci lui accorde sa confiance. Mais l'affaire tourne mal, car mon père est mineur et la justice s'en mêle. À vingt-quatre ans, il loue une chambre 33 avenue Montaigne et, d'après certains documents que j'ai conservés, il se rend souvent à Londres pour participer à l'élaboration d'une société Bravisco Ltd. Sa mère meurt en 1937 dans une pension de famille de la rue Roquépine où il avait logé quelque temps avec son frère Ralph. Puis il avait occupé une chambre à l'hôtel Terminus, près de la gare Saint-Lazare, qu'il avait quittée sans payer la note. Juste avant la guerre, il a pris en gérance une boutique de bas et parfums, 71 boulevard Malesherbes. À cette époque, il aurait habité rue Frédéric-Bastiat (VIIIe).

Et la guerre vient alors qu'il n'a pas la moindre assise et qu'il vit déjà d'expédients. En 1940, il faisait adresser son courrier à l'hôtel Victor-Emmanuel III, 24 rue de Ponthieu. Dans une lettre de 1940 à son frère Ralph, expédiée d'Angoulême où il a été mobilisé dans un régiment d'artillerie, il mentionne un lustre qu'ils ont engagé au mont-de-piété. Dans une autre lettre, il demande qu'on lui envoie à Angoulême le *Courrier des pétroles*. Il s'est occupé en 1937-1939 d'« affaires » de pétroles avec un certain Enriquez : Société Royalieu, pétroles roumains.

La débâcle de juin 1940 le surprend dans la caserne d'Angoulême. Il n'est pas entraîné avec la masse des prisonniers, les Allemands n'arrivant à Angoulême qu'après la signature de l'armistice. Il se réfugie aux Sables-d'Olonne où il reste jusqu'en septembre. Il y retrouve son ami Henri Lagroua et deux amies à eux, une certaine Suzanne et Gysèle Hollerich qui est danseuse au Tabarin.

De retour à Paris, il ne se fait pas recenser comme juif. Il habite avec son frère Ralph, chez l'amie de celui-ci, une Mauricienne qui a un passeport anglais. L'appartement est au 5 rue des Saussaies, à côté de la Gestapo. La Mauricienne est obligée de se présenter chaque semaine au commissariat, à cause de son passeport anglais. Elle sera internée plusieurs mois à Besançon et à Vittel comme « Anglaise ». Mon père a une amie, Hela H., une juive allemande qui a été, à Berlin, la fiancée de Billy Wilder. Ils se font rafler un soir de février 1942, dans un restaurant de la rue de Marignan, lors d'un contrôle d'identité, contrôles très fréquents, ce mois-là, à cause de l'ordonnance qui vient d'être promulguée et qui interdit aux juifs de se trouver dans la rue et les lieux publics après huit heures du soir. Mon père et son amie n'ont aucun papier sur eux. Ils sont embarqués dans un panier à salade par des inspecteurs qui les conduisent pour « vérification », rue Greffulhe, devant un certain commissaire Schweblin. Mon père doit décliner son identité. Il est séparé de son amie par les policiers et réussit à s'échapper au moment où on allait le transférer au Dépôt, profitant d'une minuterie éteinte. Hela H. sera libérée du Dépôt, le lendemain, sans doute à la suite d'une intervention d'un ami de mon père. Qui ? Je me le suis souvent demandé. Après sa fuite, mon père se cache sous l'escalier d'un immeuble de la rue des Mathurins, en essayant de ne pas attirer l'attention du concierge. Il y passe la nuit à cause du couvre-feu. Le matin, il rentre, 5 rue des Saussaies. Puis il se réfugie avec la Mauricienne et son frère Ralph dans un hôtel, l'Alcyon de Breteuil dont la patronne est la mère d'un de leurs amis. Plus tard, il habite avec Hela H. dans un meublé square Villaret-de-Joyeuse et Aux Marronniers, rue de Chazelles.

Les personnes que j'ai identifiées parmi toutes celles qu'il fréquentait en ce temps-là, sont Henri Lagroua, Sacha Gordine, Freddie McEvoy, un Australien champion de bobsleigh et coureur automobile avec lequel il partagera, juste après la guerre, un « bureau » sur les Champs-Élysées dont je n'ai pu découvrir la raison sociale ; un certain Jean Koporindé (189 rue de la Pompe), Geza Pellmont, Toddie Werner (qui se faisait appeler « Mme Sahuque ») et son amie Hessien (Liselotte), Kissa Kouprine, une Russe, fille de l'écrivain Kouprine. Elle avait tourné dans quelques films et joué dans une pièce de Roger Vitrac, *Les Demoiselles du large.* Flory Francken, dite Nardus, que mon père appelait « Flo » était la fille d'un peintre hollandais et elle avait passé son enfance et son adolescence en Tunisie. Puis elle était venue à Paris et elle fréquentait Montparnasse. En 1938, elle avait été impliquée dans un fait divers qui lui valut de comparaître en correctionnelle et, en 1940, elle avait épousé l'acteur japonais Sessue Hayakawa. Pendant l'Occupation, elle était liée avec celle qui avait été l'héroïne de *L'Atalante,* Dita Parlo, et son amant le docteur Fuchs, l'un des dirigeants du service « Otto », le plus important des bureaux d'achats au marché noir, 6 rue Adolphe-Yvon (XVIᵉ).

Tel était à peu près le monde où évoluait mon père. Demi-monde ? Haute pègre ? Avant qu'elle ne se perde dans la nuit froide de l'oubli, je citerai une autre Russe qui fut son amie à cette époque, Galina, dite « Gay » Orloff. Elle avait, très jeune, émigré aux États-Unis. À vingt ans, elle dansait dans une revue en Floride et elle y avait rencontré un petit homme brun très sentimental et très courtois dont elle était devenue la maîtresse : un certain Lucky Luciano. De retour à Paris, elle avait été mannequin et s'était mariée pour obtenir la nationalité française. Elle vivait, au début de l'Occupation, avec un Chilien, Pedro Eyzaguirre, « secrétaire de légation », puis seule à l'hôtel Chateaubriand, rue du Cirque, où mon père allait souvent la voir. Elle m'avait offert quelques mois après ma naissance un ours en peluche que j'ai longtemps gardé comme un talisman et le seul souvenir qui me serait resté d'une mère disparue. Elle s'est suicidée le 12 février 1948, à trente-quatre ans. Elle est enterrée à Sainte-Geneviève-des-Bois.

À mesure que je dresse cette nomenclature et que je fais l'appel dans une caserne vide, j'ai la tête qui tourne et le souffle de plus en plus court. Drôles de gens. Drôle d'époque entre chien et loup. Et mes parents se rencontrent à cette époque-là, parmi ces gens qui leur ressemblent. Deux papillons égarés et inconscients au milieu d'une ville sans regard. *Die Stadt ohne Blick.* Mais je n'y peux rien, c'est le terreau — ou le fumier — d'où je suis issu. Les bribes que j'ai rassemblées de leur vie, je les tiens pour la plupart de ma mère. Beaucoup de détails lui ont échappé concernant mon père, le monde trouble de la clandestinité et du marché noir où il évoluait par la force des choses. Elle a ignoré presque tout. Et il a emporté ses secrets avec lui.

Ils font connaissance, un soir d'octobre 1942, chez Toddie Werner, dite « Mme Sahuque », 28 rue Scheffer, XVIᵉ arrondissement. Mon père utilise une carte d'identité au nom de son ami Henri Lagroua. Dans mon enfance, à la porte vitrée du concierge, le nom « Henri Lagroua » était resté depuis l'Occupation sur la liste des locataires du 15 quai de Conti, en face de « quatrième étage ». J'avais demandé au concierge qui était cet « Henri Lagroua ». Il m'avait répondu : ton père. Cette double identité m'avait frappé. Bien plus tard j'ai su qu'il avait utilisé pendant cette période d'autres noms qui évoquaient son visage dans le souvenir de certaines personnes quelque temps encore après la guerre. Mais les noms finissent par se détacher des pauvres mortels qui les portaient et ils scintillent dans notre imagination comme des étoiles lointaines. Ma mère présente mon père à Jean de B. et à ses amis. Ils lui trouvent un « air bizarre de Sud-Américain » et conseillent gentiment à ma mère de « se méfier ». Elle le répète à mon père, qui, en blaguant, lui dit que la prochaine fois il aura l'air encore « plus bizarre » et qu'« il leur fera encore plus peur ».

Il n'est pas sud-américain mais, sans existence légale, il vit du marché noir. Ma mère venait le chercher dans l'une de ces officines auxquelles on accède par de nombreux ascenseurs le long des arcades du Lido. Il s'y trouvait toujours en compagnie de plusieurs personnes dont j'ignore les noms. Il est surtout en contact avec un « bureau d'achats », 53 avenue Hoche, où opèrent deux frères arméniens qu'il a connus avant la guerre : Alexandre et

Ivan S. Il leur livre, parmi d'autres marchandises, des camions entiers de roulements à billes périmés qui proviennent de vieux stocks de la société SKF, et resteront, en tas, inutilisables, à rouiller dans les docks de Saint-Ouen. Au hasard de mes recherches, je suis tombé sur les noms de quelques individus qui travaillaient au 53 avenue Hoche : le baron Wolff, Dante Vannuchi, le docteur Patt, « Alberto », en me demandant s'il ne s'agissait pas, tout simplement, de pseudonymes dont usait mon père. C'est dans ce bureau d'achats de l'avenue Hoche qu'il rencontre un André Gabison, dont il parle souvent à ma mère et qui est le patron de l'endroit. J'ai eu entre les mains une liste d'agents des services spéciaux allemands qui datait de 1945 et où figurait une note au sujet de cet homme : Gabison (André). Nationalité italienne, né en 1907. Commerçant. Passeport 13755 délivré à Paris le 18/11/42 le désignant comme un homme d'affaires tunisien. Depuis 1940, associé de Richir (bureau d'achats 53 avenue Hoche). En 1942 se trouvait à St Sébastien correspondant de Richir. En avril 1944, travaillait sous les ordres d'un certain Rados du SD, voyageant fréquemment entre Hendaye et Paris.

En août 1944 est signalé comme faisant partie de la sixième section du SD de Madrid sous les ordres de Martin Maywald. Adresse : calle Jorge Juan 17 à Madrid (téléphone : 50.222).

Les autres relations de mon père sous l'Occupation, du moins celles que je lui connais : un banquier italien, Georges Giorgini-Schiff et son amie Simone qui se mariera plus tard avec le propriétaire du Moulin-Rouge, Pierre Foucret. Giorgini-Schiff avait ses bureaux 4 rue de Penthièvre. Mon père lui a acheté un très gros diamant rose, la « croix du Sud » qu'il tentera de revendre après la guerre, quand il n'aura plus un sou. Giorgini-Schiff sera arrêté par les Allemands en septembre 1943, à la suite de l'armistice italien. Pendant l'Occupation, il avait présenté à mes parents un docteur Carl Gerstner, conseiller économique à l'ambassade d'Allemagne, dont l'amie, Sybil, était juive et qui deviendra, paraît-il, un personnage « important » à Berlin-Est après la guerre. Annet Badel : ancien avocat, directeur du théâtre du Vieux-Colombier en 1944. Mon père a fait du marché noir avec lui et avec son gendre, Georges Vikar. Badel avait envoyé à ma mère un exemplaire de *Huis clos* de Sartre qu'il allait monter en mai 1944 au Vieux-Colombier et dont le titre initial était « Les Autres ». Cette dactylographie des « Autres » traînait encore au fond d'un placard de ma chambre du cinquième étage du quai de Conti quand j'avais quinze ans. Badel pensait que ma mère gardait des contacts avec les Allemands, à cause de la Continental, et qu'ainsi, par son entremise, il pourrait obtenir plus rapidement le visa de censure de cette pièce.

D'autres proches de mon père : André Camoin, antiquaire, quai Voltaire. Maria Tchernychev, une fille de la noblesse russe, mais « déclassée », avec laquelle il participait à de grosses affaires de marché noir ; et à de plus modestes, avec un certain « M. Fouquet ». Ce Fouquet, lui, tenait un magasin rue de Rennes et habitait un pavillon dans la banlieue de Paris.

Je ferme les yeux et je vois venir, de sa démarche lourde et du plus profond du passé, Lucien P. Je crois que son métier consistait à servir d'intermédiaire et à présenter les gens les uns aux autres. Il était très gros, et dans mon enfance, chaque fois qu'il s'asseyait sur une chaise j'avais peur qu'elle ne se fende sous son poids. Quand ils étaient jeunes, mon père et lui, Lucien P. était l'amoureux éploré de l'actrice Simone Simon qu'il suivait comme un gros caniche. Et l'ami de Sylviane Quimfe, une aventurière championne de billard qui deviendra sous l'Occupation marquise d'Abrantès, et maîtresse d'un membre de la bande de la rue Lauriston. Des personnes sur lesquelles il est impossible de s'appesantir. Tout juste des voyageurs louches qui traversent les halls de gare sans que je sache jamais leur destination, à supposer qu'ils en aient une. Pour en finir avec cette liste de fantômes, il faudrait mentionner les deux frères dont je me demandais s'ils étaient jumeaux : Ivan et Alexandre S. Le dernier avait une amie, Inka, une danseuse finlandaise. Ils devaient être de bien grands seigneurs du marché noir puisqu'ils avaient fêté pendant l'Occupation leur « premier milliard » dans un appartement de l'immeuble massif du 1 avenue Paul-Doumer où habitait Ivan S. Celui-ci a fui en Espagne à la Libération, comme André Gabison. Et Alexandre S. qu'est-il devenu ? Je me le demande. Mais est-il bien nécessaire de se poser la question ? Moi, mon cœur bat pour ceux dont on voyait les visages sur l'« Affiche rouge ».

Jean de B. et l'antiquaire de Bruxelles quittent l'appartement du quai de Conti début 1943 et mes parents s'y installent tous les deux. Avant que je ne sois définitivement lassé de tout cela et que le courage et le souffle me manquent, voici encore quelques bribes de leur vie à cette époque lointaine mais telle qu'ils l'ont vécue dans la confusion du présent.

Ils se réfugiaient quelquefois à Ablis au château du Bréau, avec Henri Lagroua et son amie Denise. Le château du Bréau était abandonné. Il appartenait à des Américains qui avaient dû quitter la France à cause de la guerre et leur avaient confié les clés. Dans la campagne, ma mère faisait de la moto avec Lagroua sur sa BSA 500 cm^3. Elle passe avec mon père les mois de juillet et août 1943 dans une auberge de la Varenne-Saint-Hilaire, Le Petit Ritz. Giorgini-Schiff, Simone, Gerstner et son amie Sybil viennent les rejoindre là-bas. Baignades dans la Marne. Cette auberge est fréquentée par quelques truands et leurs « femmes » dont un certain « Didi » et sa compagne « Mme Didi ». Les hommes partent le matin en voiture pour de troubles besognes et rentrent très tard de Paris. Une nuit, mes parents entendent une dispute dans la chambre au-dessus de la leur. La femme traite son compagnon de « sale poulet » et elle jette par la fenêtre des liasses de billets de banque, en lui reprochant d'avoir rapporté tout cet argent. Faux policiers ? Auxiliaires de la Gestapo ? Toddie Werner, dite « Mme Sahuque », chez qui mes parents s'étaient connus, échappe à une rafle, début 1943. Elle se blesse en sautant par l'une des fenêtres de son appartement. On recherche Sacha Gordine, l'un des plus anciens amis de mon père, comme le montre une lettre de la direction du statut des personnes du Commissariat général aux Questions juives au directeur d'une « Section d'enquête et de contrôle » : « Le 6 avril 1944. Par la note citée en référence, je vous avais demandé de procéder d'urgence à l'arrestation du juif Gordine Sacha pour infraction à la loi du 2 juin 1941. Vous m'avez fait savoir à la suite de cette note que celui-ci avait quitté son domicile sans faire connaître sa nouvelle adresse. Or il a été vu ces jours-ci circulant en bicyclette dans les rues de Paris. Je vous serais donc obligé de vouloir bien faire une nouvelle visite à son domicile afin de pouvoir donner suite à ma note du 25 janvier dernier. »

Je me souviens qu'une seule fois mon père avait évoqué cette période, un soir que nous étions tous les deux aux Champs-Élysées. Il m'avait désigné le bout de la rue de Marignan, là où on l'avait embarqué en février 1942. Et il m'avait parlé d'une seconde arrestation, l'hiver 1943, après avoir été dénoncé par « quelqu'un ». Il avait été emmené au Dépôt, d'où « quelqu'un » l'avait fait libérer. Ce soir-là, j'avais senti qu'il aurait voulu me confier quelque chose mais les mots ne venaient pas. Il m'avait dit simplement que le panier à salade faisait le tour des commissariats avant de rejoindre le Dépôt. À l'un des arrêts était montée une jeune fille qui s'était assise en face de lui et dont j'ai essayé beaucoup plus tard, vainement, de retrouver la trace, sans savoir si c'était le soir de 1942 ou de 1943.

Au printemps 1944, mon père reçoit des coups de téléphone anonymes, quai de Conti. Une voix l'appelle par son véritable nom. Un après-midi, en son absence, deux inspecteurs français sonnent à la porte et demandent « M. Modiano ». Ma mère leur déclare qu'elle n'est qu'une jeune Belge qui travaille à la Continental, une compagnie allemande. Elle sous-loue une chambre de cet appartement à un certain Henri Lagroua et elle ne peut pas les renseigner. Ils lui disent qu'ils reviendront. Mon père, pour les éviter, déserte le quai de Conti. Je suppose que ce n'étaient plus les membres de la police des Questions juives de Schweblin mais les hommes de la Section d'enquête et de contrôle — comme pour Sacha Gordine. Ou ceux du commissaire Permilleux de la Préfecture. Par la suite, j'ai voulu mettre des visages sur les noms de ces gens-là, mais ils restaient toujours tapis dans l'ombre, avec leur odeur de cuir pourri.

Mes parents décident de quitter Paris au plus vite. Christos Bellos, le Grec que ma mère a connu chez B., a une amie qui vit dans une propriété près de Chinon. Tous trois se réfugient chez elle. Ma mère emporte ses habits de sports d'hiver, au cas où ils fuiraient encore plus loin. Ils resteront cachés dans cette maison de Touraine jusqu'à la Libération et retourneront à Paris, à vélo, dans le flot des troupes américaines.

Début septembre 1944, à Paris, mon père ne veut pas rentrer tout de suite quai de Conti, craignant que la police ne lui demande à nouveau des comptes mais cette fois-ci à cause de ses activités de hors-la-loi dans le marché noir. Mes parents habitent un hôtel, au coin de l'avenue de Breteuil et de l'avenue Duquesne, cet Alcyon de Breteuil, où mon père était déjà venu se réfugier en 1942. Il envoie ma mère en éclaireur quai de Conti pour connaître la tournure que prennent les choses. Elle est convoquée par la police et elle subit un long interrogatoire. Elle est étrangère, ils voudraient qu'elle leur dise la raison exacte de son arrivée à Paris en 1942 sous la protection des Allemands. Elle leur explique qu'elle est fiancée à un juif avec qui elle vit depuis deux ans. Les policiers qui l'interrogent étaient sans doute les collègues de ceux qui voulaient arrêter mon père sous son vrai nom quelques mois plus tôt. Ou les mêmes. Ils doivent le rechercher maintenant sous ses noms d'emprunt, sans parvenir à l'identifier.

Ils relâchent ma mère. Le soir, à l'hôtel, sous leurs fenêtres, le long du terre-plein de l'avenue de Breteuil, des femmes se promènent avec les soldats américains et l'une d'elles essaye de faire comprendre à un Américain combien de mois on les a attendus. Elle compte sur ses doigts : « *One, two…* » Mais l'Américain ne comprend pas et l'imite, en comptant sur ses doigts à lui : « *One, two, three, four…* » Et cela n'en finit pas. Au bout de quelques semaines, mon père quitte l'Alcyon de Breteuil. De retour quai de Conti, il apprend que sa Ford, qu'il avait cachée dans un garage de Neuilly, a été réquisitionnée par la Milice en juin et que c'est dans cette Ford à la carrosserie trouée de balles et conservée pour les besoins de l'enquête par les policiers que Georges Mandel avait été assassiné.

Le 2 août 1945, mon père vient à vélo déclarer ma naissance à la mairie de Boulogne-Billancourt. J'imagine son retour par les rues désertes d'Auteuil et les quais silencieux de cet été-là.

Puis il décide de vivre au Mexique. Les passeports sont prêts. Au dernier moment, il change d'avis. Il s'en est fallu de peu qu'il quitte l'Europe après la guerre. Trente années plus tard, il est allé mourir en Suisse, pays neutre. Entre-temps, il s'est beaucoup déplacé : le Canada, la Guyane, l'Afrique-Équatoriale, la Colombie... Ce qu'il a cherché en vain, c'était l'Eldorado. Et je me demande s'il ne fuyait pas les années de l'Occupation. Il ne m'a jamais confié ce qu'il avait éprouvé au fond de lui-même à

Paris pendant cette période. La peur et le sentiment étrange d'être traqué parce qu'on l'avait rangé dans une catégorie bien précise de gibier, alors qu'il ne savait pas lui-même qui il était exactement ? Mais on ne doit pas parler à la place d'un autre et j'ai toujours été gêné de rompre les silences même quand ils vous font mal.

1946. Mes parents habitent toujours 15 quai de Conti, aux quatrième et cinquième étages. À partir de 1947, mon père louera aussi le troisième étage. Relative et bien fugace prospérité de mon père, jusqu'en 1947, avant qu'il entre pour toujours dans ce que l'on appelle la misère dorée. Il travaille avec Giorgini-Schiff, avec un certain M. Tessier, citoyen du Costa Rica, et un baron Louis de la Rochette. Il est l'intime d'un nommé Z., compromis dans l'« affaire des vins ». Mes grands-parents maternels sont venus d'Anvers à Paris pour s'occuper de moi. Je suis toujours avec eux, et je ne comprends que le flamand. En 1947, naissance de mon frère Rudy, le 5 octobre. Depuis la Libération, ma mère a suivi les cours d'art dramatique de l'École du Vieux-Colombier… Elle a joué à la Michodière en 1946 un petit rôle dans *Auprès de ma blonde*. En 1949, elle apparaît brièvement dans le film *Rendez-vous de juillet.*

Cet été 1949, au Cap-d'Antibes et sur la Côte basque, elle est l'amie d'un play-boy d'origine russe, Wladimir Rachevsky, et du marquis d'A., un Basque qui écrivait des poèmes. Cela, je le saurai plus tard. Nous restons seuls, mon frère et moi, près de deux ans à Biarritz. Nous habitons un petit appartement à la Casa Montalvo et la femme qui s'occupe de nous est la gardienne de cette maison. Je ne me souviens plus très bien de son visage.

Au mois de septembre 1950, nous sommes baptisés à Biarritz en l'église Saint-Martin sans que mes parents soient présents. Selon l'acte de baptême, mon parrain est un mystérieux « Jean Minthe » que je ne connais pas. À la rentrée des classes d'octobre 1950, je vais pour la première fois à l'école, à l'Institution Sainte-Marie de Biarritz, dans le quartier de la Casa Montalvo.

Un après-midi, à la sortie de l'école, personne n'est venu me chercher. Je veux rentrer tout seul mais, en traversant la rue, je suis renversé par une camionnette. Le chauffeur de celle-ci me transporte chez les bonnes sœurs qui m'appliquent sur le visage, pour m'endormir, un tampon d'éther. Depuis, je serai particulièrement sensible à l'odeur de l'éther. Beaucoup trop. L'éther aura cette curieuse propriété de me rappeler une souffrance mais de l'effacer aussitôt. Mémoire et oubli.

Nous rentrons à Paris en 1951. Un dimanche, en matinée, je suis dans les coulisses du théâtre Montparnasse où ma mère joue un petit rôle dans *Le Complexe de Philémon*. Ma mère est en scène. J'ai peur. Je me mets à pleurer. Suzanne Flon, qui joue aussi dans cette pièce, me donne une carte postale pour me calmer.

L'appartement du quai de Conti. Au troisième étage, nous entendions des voix et des éclats de rire, le soir, dans la chambre voisine de la nôtre où ma mère recevait ses amis de Saint-Germain-des-Prés. Je la voyais rarement. Je ne me souviens pas d'un geste de vraie tendresse ou de protection de sa part. Je me sentais toujours un peu sur le qui-vive en sa présence. Ses colères brusques me troublaient et comme j'allais au catéchisme, je faisais une prière pour que Dieu lui pardonne. Au quatrième étage, mon père avait son bureau. Il s'y tenait souvent avec deux ou trois personnes. Ils étaient assis dans les fauteuils ou sur les bras du canapé. Ils parlaient entre eux. Ils téléphonaient chacun à son tour. Et ils se lançaient l'appareil les uns aux autres, comme un ballon de rugby. De temps en temps, mon père recrutait des jeunes filles, étudiantes aux Beaux-Arts, pour s'occuper de nous. Il leur demandait de répondre au téléphone et de dire « qu'il n'était pas là ». Il leur dictait des lettres.

Début 1952, ma mère nous confie à son amie, Suzanne Bouquerau, qui habite une maison, 38 rue du Docteur-Kurzenne, à Jouy-en-Josas. Je vais à l'école Jeanne-d'Arc, au bout de la rue, puis à l'école communale. Nous sommes enfants de chœur, mon frère et moi, à la messe de minuit de 1952, dans l'église du village. Premières lectures : *Le Dernier des Mohicans* auquel je ne comprends rien mais que je continue à lire jusqu'à la fin. *Le Livre de la jungle.* Les contes d'Andersen illustrés par Adrienne Ségur. Les *Contes du chat perché.*

Des allées et venues de femmes étranges, au 38 rue du Docteur-Kurzenne, parmi lesquelles Zina Rachevsky, Suzanne Baulé, dite

Frede, la directrice du Carroll's, une boîte de nuit rue de Ponthieu, et une certaine Rose-Marie Krawell, propriétaire d'un hôtel, rue du Vieux-Colombier, et qui conduisait une voiture américaine. Elles portaient des vestes et des chaussures d'homme, et Frede, une cravate. Nous jouons avec le neveu de Frede.

De temps en temps, mon père nous rend visite accompagné de ses amis et d'une jeune femme blonde et douce, Nathalie, une hôtesse de l'air qu'il a connue lors de l'un de ses voyages à Brazzaville. Nous écoutons la radio le jeudi après-midi à cause des émissions pour les enfants. Les autres jours, j'entends quelquefois le bulletin d'informations. Le speaker rend compte du procès de ceux qui ont commis le MASSACRE D'ORADOUR. Les sonorités de ces mots me glacent le cœur aujourd'hui comme ces jours-là, où je ne comprenais pas très bien de quoi il s'agissait.

Un soir, au cours de l'une de ses visites, mon père est assis en face de moi, dans le salon de la maison de la rue du Docteur-Kurzenne, près du bow-window. Il me demande ce que je voudrais faire dans la vie. Je ne sais pas quoi lui répondre.

En février 1953, un matin, mon père vient nous chercher en voiture, mon frère et moi, dans la maison déserte, et nous ramène à Paris. J'apprendrai plus tard que Suzanne Bouquereau avait été arrêtée pour des cambriolages. Entre Jouy-en-Josas et Paris, mystère de cette banlieue qui n'en était pas encore une. Le château en ruine et, devant lui, la prairie aux herbes hautes d'où nous lâchions un cerf-volant. Le bois des Metz. Et la grande roue de la machine à eau de Marly qui tournait dans un bruit et une fraîcheur de cascade.

De 1953 à 1956, nous restons à Paris et je vais avec mon frère à l'école communale de la rue du Pont-de-Lodi. Nous fréquentons aussi le catéchisme, à Saint-Germain-des-Prés. Nous voyons souvent l'abbé Pachaud qui officie à Saint-Germain-des-Prés et habite un petit appartement rue Bonaparte. J'ai retrouvé une lettre que m'avait écrite à cette époque l'abbé Pachaud. « Lundi 18 juillet. J'imagine que tu dois bâtir des châteaux forts sur la plage... quand la mer monte il n'y a plus qu'à déguerpir en vitesse ! C'est comme quand on siffle la fin de la récréation dans la cour de l'école du Pont-de-Lodi ! Sais-tu qu'à Paris, il fait très chaud ? Heureusement qu'il y a de temps en temps quelques orages qui rafraîchissent le temps. Si le catéchisme fonctionnait encore, tu n'en finirais pas de distribuer des verres de menthe dans le broc blanc à tous tes camarades. N'oublie pas la fête du 15 août : dans un mois c'est l'Assomption de la Sainte Vierge. Tu communieras ce jour-là pour réjouir le cœur de ta mère du ciel. Elle sera satisfaite de son Patrick si tu sais t'ingénier à lui faire plaisir. Tu sais bien qu'en vacances, il ne faut pas oublier de remercier le bon Dieu de tout le bon temps qu'il nous donne. Adieu mon Patrick. Je t'embrasse de tout cœur. Abbé Pachaud. » Les cours de catéchisme avaient lieu au dernier étage d'un immeuble vétuste, 4 rue de l'Abbaye — qui abrite aujourd'hui des appartements cossus — et dans une salle, place Furstenberg, devenue une boutique de luxe. Les visages ont changé. Je ne reconnais plus le quartier de mon enfance comme ne le reconnaîtraient plus Jacques Prévert et l'abbé Pachaud.

De l'autre côté de la Seine, mystères de la cour du Louvre, des deux squares du Carrousel et des jardins des Tuileries où je passais de longs après-midi avec mon frère. Pierre noire et feuillages des marronniers, sous le soleil. Le théâtre de verdure. La montagne de feuilles mortes contre le mur de soubassement de la terrasse, au-dessous du musée du Jeu de Paume. Nous avions numéroté les allées. Le bassin vide. La statue de Caïn et Abel dans l'un des deux squares disparus du Carrousel. Et la statue de La Fayette dans l'autre square. Le lion en bronze des jardins du Carrousel. La balance verte contre le mur de la terrasse du bord de l'eau. Les faïences et la fraîcheur du « Lavatory » sous la terrasse des Feuillants. Les jardiniers. Le bourdonnement du moteur de la tondeuse à gazon, un matin de soleil, sur une pelouse, près du bassin. L'horloge aux aiguilles immobiles pour l'éternité, porte sud du palais. Et la marque au fer rouge sur l'épaule de Milady. Nous dressions des arbres généalogiques, mon frère et moi, et notre problème c'était de trouver le raccord entre Saint Louis et Henri IV. À huit ans, un film m'impressionne : *Sous le plus grand chapiteau du monde.* Une séquence surtout : La nuit, le train des forains qui s'arrête, bloqué par la voiture américaine. Reflets de lune. Le cirque Médrano. L'orchestre jouait entre les numéros. Les clowns Rhum, Alex et Drena. Les fêtes foraines. Celle de Versailles, avec les autos tamponneuses, aux couleurs mauve, jaune, verte, bleu nuit, rose… La foire des Invalides avec la baleine Jonas. Les garages. Leur odeur d'ombre et d'essence. Un demi-jour. Les bruits et les voix s'y perdaient dans un écho.

Parmi toutes les lectures que j'ai faites en ce temps-là (Jules Verne, Alexandre Dumas, Joseph Peyré, Conan Doyle, Selma Lagerlöf, Karl May, Mark Twain, James Oliver Curwood, Stevenson, *Les Mille et Une Nuits*, la comtesse de Ségur, Jack London) je garde un souvenir particulier des *Mines du roi Salomon* et de l'épisode où le jeune guide dévoile sa véritable identité de fils de roi. Et j'ai rêvé sur deux livres à cause de leurs titres : *Le Prisonnier de Zenda* et *Le Cargo du mystère*.

Nos amis de l'école de la rue du Pont-de-Lodi : Pierre Do-Kiang, un Vietnamien dont les parents tiennent un petit hôtel rue Grégoire-de-Tours. Zdanevitch, moitié noir, moitié géorgien, fils d'un poète géorgien, Iliazd. D'autres amis : Gérard, qui habitait au-dessus d'un garage, à Deauville, avenue de la République. Un certain Ronnie, dont je ne me rappelle plus les traits du visage ni où nous l'avions connu. Nous allions jouer chez lui, près du bois de Boulogne. J'ai le vague souvenir qu'à peine franchie la porte d'entrée, nous étions à Londres, dans l'une de ces maisons de Belgravia ou de Kensington. Plus tard, quand j'ai lu la nouvelle de Graham Greene *Première Désillusion*, j'ai pensé que ce Ronnie, dont je ne sais rien, aurait pu en être le héros.

Vacances à Deauville dans un petit bungalow, près de l'avenue de la République avec l'amie de mon père, Nathalie, l'hôtesse de l'air. Ma mère, les rares fois où elle vient, y accueille ses amis de passage, comédiens qui jouent une pièce au casino, et son camarade de jeunesse hollandais, Joppie Van Allen. Il fait partie de la troupe du marquis de Cuevas. Grâce à lui, j'assiste à un ballet qui me bouleverse : *La Somnambule.* Un jour j'accompagne mon père dans le hall de l'hôtel Royal où il a rendez-vous avec une Mme Stern qui, me dit-il, possède une écurie de courses. À quoi pouvait bien lui servir cette Mme Stern ? Chaque jeudi, au début de l'après-midi, nous allons, mon frère et moi, acheter *Tarzan* chez le marchand de journaux, là-bas, en face de l'église. Chaleur. Nous sommes seuls dans la rue. Ombre et soleil sur le trottoir. L'odeur des troènes...

L'été 1956, nous occupons, mon frère et moi, le bungalow, avec mon père et Nathalie, l'hôtesse de l'air. Celle-ci nous avait emmenés en vacances, à Pâques de la même année, dans un hôtel de Villars-sur-Ollon. À Paris, un dimanche de 1954, nous restons au fond des coulisses du Vieux-Colombier, mon frère et moi, quand ma mère est entrée en scène. Une certaine Suzy Prim, qui joue le rôle principal de la pièce, nous dit méchamment que notre place n'est pas ici. Comme beaucoup de vieilles cabotines elle n'aime pas les enfants. Je lui envoie une lettre : « Chère Madame, je vous souhaite un très mauvais Noël. » Ce qui m'avait frappé chez elle, c'était le regard à la fois dur et inquiet.

Le dimanche, avec mon père, nous prenions l'autobus 63 jusqu'au bois de Boulogne. Le lac et le ponton d'où l'on embarquait pour le golf miniature et le Chalet des Îles... Un soir, au Bois, nous attendons

l'autobus du retour et mon père nous entraîne dans la petite rue Adolphe-Yvon. Il
s'arrête devant un hôtel particulier et nous
dit : Je me demande qui habite là maintenant — comme s'il était familier de cet
endroit. Dans son bureau, je le vois, ce soir-
là, qui consulte l'annuaire par rues. Cela
m'intrigue. Une dizaine d'années plus tard,
j'apprendrai qu'au 6 de la rue Adolphe-
Yvon, dans un hôtel particulier qui n'existe
plus (je retournerai dans cette rue en 1967
pour vérifier à quelle hauteur nous nous
étions arrêtés avec mon père : cela corres-
pondait au 6), se trouvaient pendant l'Occupation les bureaux « Otto », la plus impor-
tante officine de marché noir de Paris. Et
brusquement une odeur de pourriture se
confond avec celles des manèges et des
feuilles mortes du Bois. Je me souviens aussi
que parfois ces après-midi, mon frère, mon
père et moi, nous montions dans un autobus
au hasard et nous allions jusqu'au terminus.
Saint-Mandé. Porte de Gentilly...

En octobre 1956, j'entre comme pensionnaire à l'école du Montcel, à Jouy-en-Josas.
J'aurai fréquenté toutes les écoles de Jouy-
en-Josas. Les premières nuits au dortoir sont

difficiles et j'ai souvent envie de pleurer. Mais bientôt, je me livre à un exercice pour me donner du courage : concentrer mon attention sur un point fixe, une sorte de talisman. En l'occurrence, un petit cheval noir en plastique.

En février 1957, j'ai perdu mon frère. Un dimanche, mon père et mon oncle Ralph sont venus me chercher au pensionnat. Sur la route de Paris, mon oncle Ralph qui conduisait s'est arrêté, il est sorti de la voiture, me laissant seul avec mon père. Dans la voiture, mon père m'a annoncé la mort de mon frère. Le dimanche précédent, j'avais passé l'après-midi avec lui, dans notre chambre, quai de Conti. Nous avions rangé ensemble une collection de timbres. Je devais rentrer au collège à cinq heures, et je lui avais expliqué qu'une troupe de comédiens jouerait pour les élèves une pièce dans la petite salle de théâtre du pensionnat. Je n'oublierai jamais son regard, ce dimanche-là.

À part mon frère Rudy, sa mort, je crois que rien de tout ce que je rapporterai ici ne me concerne en profondeur. J'écris ces pages comme on rédige un constat ou un curriculum vitae, à titre documentaire et sans doute pour en finir avec une vie qui n'était pas la mienne. Il ne s'agit que d'une simple pellicule de faits et gestes. Je n'ai rien à confesser ni à élucider et je n'éprouve aucun goût pour l'introspection et les examens de conscience. Au contraire, plus les choses demeuraient obscures et mystérieuses, plus je leur portais de l'intérêt. Et même, j'essayais de trouver du mystère à ce qui n'en avait aucun. Les événements que j'évoquerai jusqu'à ma vingt et unième année, je les ai vécus en transparence — ce procédé qui consiste à faire défiler en arrière-plan des paysages, alors que les acteurs restent immobiles sur un plateau de studio. Je voudrais traduire cette impression que beaucoup d'autres ont ressentie avant moi : tout défilait en transparence et je ne pouvais pas encore vivre ma vie.

J'ai été pensionnaire jusqu'en 1960 à l'école du Montcel. Pendant quatre ans, discipline militaire. Chaque matin, lever des couleurs. Marche au pas. Section, halte. Section garde-à-vous. Le soir, inspection dans les chambres. Brimades de quelques « capitaines » élèves de première, chargés de faire respecter la « discipline ». Sonnerie électrique du réveil. Douche, par fournées de trente. Piste Hébert. Repos. Garde-à-vous. Et les heures de jardinage, nous ratissions en rang les feuilles mortes sur les pelouses.

Mon voisin de classe, en quatrième, s'appelait Safirstein. Il était dans ma chambrée au pavillon vert. Il m'avait expliqué que son père, à vingt ans, faisait des études de médecine, à Vienne. En 1938, au moment de l'Anschluss, les nazis avaient humilié les juifs de Vienne en les obligeant à laver les trottoirs, à peindre eux-mêmes des étoiles à six branches sur les vitres de leurs magasins. Son père avait subi ces brimades avant de s'enfuir d'Autriche. Une nuit, nous avions décidé d'aller explorer l'intérieur du blockhaus, au fond du parc. Il fallait traverser la grande pelouse et si nous attirions l'attention d'un surveillant, nous risquions d'être sévèrement punis. Safirstein avait refusé de participer à cette équipée de boy-scouts. Le lendemain, mes camarades l'avaient mis en quarantaine en le traitant de « dégonflé », avec cette lourdeur de caserne qui vous accable quand les « hommes » sont entre eux. Le père de Safirstein était arrivé à l'improviste un après-midi au collège. Il avait voulu parler à toute la chambrée. Il leur avait dit gentiment de ne plus brimer son fils et de ne plus le traiter de « dégonflé ». Une telle démarche avait étonné mes camarades et même Safirstein. Nous étions réunis autour de la table, dans la salle des professeurs. Safirstein était à côté de son père. Tout le monde s'est réconcilié dans la bonne humeur. Je crois que le père nous a offert des cigarettes. Aucun de mes camarades n'attachait plus d'importance à l'incident. Même pas Safirstein. Mais j'avais bien senti l'inquiétude de cet homme qui s'était demandé si le cauchemar qu'il avait subi vingt ans auparavant ne recommencerait pas pour son fils.

À l'école du Montcel se trouvaient des enfants mal-aimés, des bâtards, des enfants perdus. Je me souviens d'un Brésilien qui fut pendant longtemps mon voisin de dortoir, sans nouvelles de ses parents depuis deux ans, comme s'ils l'avaient mis à la consigne d'une gare oubliée. D'autres faisaient des trafics de blue-jeans et forçaient déjà des barrages de police. Deux frères, parmi les élèves, ont même comparu, une vingtaine d'années plus tard, en cour d'assises. Jeunesse souvent dorée, mais d'un or suspect, de mauvais alliage. La plupart de ces braves garçons n'auraient pas d'avenir.

Les lectures de ce temps-là. Certaines m'ont marqué : *Fermina Marquez, La Colonie pénitentiaire, Les Amours jaunes, Le soleil se lève aussi.* Dans d'autres livres, je retrouvais le fantastique des rues : *Marguerite de la nuit, Rien qu'une femme, La Rue sans nom.* Il traînait encore dans les bibliothèques des infirmeries de collège quelques vieux romans qui avaient survécu aux deux dernières guerres et qui se tenaient là, très discrets, de peur qu'on ne les descende à la cave. Je me souviens d'avoir lu *Les Oberlé.* Mais, surtout, je lisais les premiers livres de poche qui venaient de paraître, et ceux de la collection Pourpre, reliés en carton. Pêle-mêle, de bons et de mauvais romans. Beaucoup d'entre eux ont disparu des catalogues. Parmi ces premiers livres de poche, quelques titres ont gardé pour moi leurs parfums : *La Rue du Chat-qui-Pêche, La Rose de Bratislava, Marion des neiges.*

Le dimanche, promenade avec mon père et l'un de ses comparses du moment. Stioppa. Mon père le voit souvent. Il porte le monocle et ses cheveux sont si gominés qu'ils laissent une trace quand il appuie la tête sur le dossier du canapé. Il n'exerce aucun métier. Il habite dans une pension de famille avenue Victor-Hugo. Parfois, nous allions, Stioppa, mon père et moi, nous promener au bois de Boulogne.

Un autre dimanche, mon père m'emmène au Salon nautique, du côté du quai Branly. Nous rencontrons l'un de ses amis d'avant-guerre : « Paulo » Guerin. Un vieux jeune homme en blazer. Je ne sais plus s'il visitait lui aussi le Salon ou s'il y tenait un stand. Mon père m'explique que Paulo Guerin n'a jamais rien fait sinon monter à cheval, piloter de belles voitures, et séduire des filles. Que cela me serve de leçon : oui, dans la vie, il faut des diplômes. Cette fin d'après-midi-là, mon père avait l'air rêveur, comme s'il venait de croiser un fantôme. Chaque fois que je me suis retrouvé sur le quai Branly, j'ai pensé à la silhouette un peu épaisse, au visage qui m'avait paru empâté sous les cheveux bruns ramenés en arrière, de ce Paulo Guerin. Et la question demeurera à jamais en suspens : que pouvait-il bien faire, ce dimanche-là, sans diplômes, au Salon nautique ?

Il y avait aussi un M. Charly d'Alton. C'était surtout avec lui et son vieux camarade Lucien P. que mon père lançait le téléphone, comme un ballon de rugby. Son nom m'évoquait les frères Dalton, des bandes dessinées, et plus tard, je me suis aperçu que c'était aussi le nom d'un ami et de deux maîtresses d'Alfred de Musset. Un homme que mon père appelait toujours par son nom de famille : Rosen (ou Rozen). Ce Rosen (ou Rozen) était le sosie de l'acteur David Niven. J'avais cru comprendre qu'il s'était engagé, pendant la guerre d'Espagne, dans les rangs franquistes. Il demeurait silencieux, sur le canapé, pendant des heures. Et même en l'absence de mon père. Et la nuit, j'imagine. Il faisait partie des meubles.

Parfois mon père m'accompagnait le lundi matin à la Rotonde, porte d'Orléans. C'était là où m'attendait le car qui me ramenait au collège. Nous nous levions vers six heures et, avant que je prenne ce car, mon père en profitait pour donner des rendez-vous dans les cafés de la porte d'Orléans, éclairés au néon les matins d'hiver où il faisait encore nuit noire. Sifflements des percolateurs. Les gens qu'il rencontrait là étaient différents de ceux qu'il retrouvait au Claridge ou au

Grand Hôtel. Ils se parlaient à voix basse. Des forains, des hommes au teint rubicond de voyageurs de commerce, ou à l'allure chafouine de clercs de notaires provinciaux. À quoi lui servaient-ils exactement ? Ils avaient des noms du terroir : Quintard, Chevreau, Picard...

Un dimanche matin, nous sommes allés en taxi dans le quartier de la Bastille. Mon père a fait arrêter le taxi une vingtaine de fois devant des immeubles, boulevard Voltaire, avenue de la République, boulevard Richard-Lenoir... Chaque fois, il déposait une enveloppe, chez le concierge de l'immeuble. Appel à d'anciens actionnaires d'une société défunte dont il avait exhumé les titres ? Peut-être cette Union minière indochinoise ? Un autre dimanche, il dépose ses enveloppes le long du boulevard Pereire.

Quelquefois, le samedi soir, nous rendions visite à un vieux couple, les Facon, qui habitaient un appartement minuscule, rue du Ruisseau, derrière Montmartre. Au mur du petit salon, exposée dans un cadre, la médaille militaire que M. Facon avait gagnée à la guerre de 1914. C'était un ancien imprimeur. Il aimait la littérature. Il m'avait offert une belle édition reliée du recueil des poèmes de Saint-Pol Roux, *La Rose et les épines du chemin*. En quelles circonstances mon père l'avait-il connu ?

Je me souviens aussi d'un certain Léon Grunwald. Il venait déjeuner avec mon père plusieurs fois par semaine. Grand, les cheveux gris ondulés, une tête d'épagneul, les épaules et le regard las. Bien plus tard, j'ai eu la surprise de retrouver la trace de cet homme quand j'ai lu dans *L'affaire de Broglie* de Jesús Ynfante qu'en 1968, le président d'une société Matesa « cherchait un financement de quinze à vingt millions de dollars ». Il s'était mis en relation avec Léon Grunwald, « un personnage ayant participé aux principaux financements effectués au Luxembourg ». Un protocole d'accord fut signé entre « Messieurs Jean de Broglie, Raoul de Léon et Léon Grunwald » : s'ils obtenaient l'emprunt, ils toucheraient une commission de cinq cent mille dollars. D'après ce que j'avais lu, Grunwald était mort entre-temps. De fatigue ? Il faut dire que ces sortes de gens ont une activité épuisante et passent bien des nuits blanches. Le jour, ils ne cessent de se donner des rendez-vous les uns aux autres pour tenter de signer leurs « protocoles d'accord ».

Je voudrais respirer un air plus pur, la tête me tourne mais je me souviens de quelques-uns des « rendez-vous » de mon père. Une fin de matinée je l'avais accompagné aux Champs-Élysées. Nous avions été reçus par un petit homme chauve, très sémillant, dans un cagibi où nous avions à peine la place de nous asseoir. J'avais pensé que c'était l'un des sept nains. Il parlait à voix basse, comme s'il occupait ce bureau en fraude.

D'habitude, mon père donnait ses « rendez-vous » dans le hall du Claridge et m'y emmenait les dimanches. Un après-midi, je reste à l'écart pendant qu'il s'entretient à voix basse avec un Anglais. Il essaye de lui arracher par surprise un feuillet que l'Anglais vient de parapher. Mais celui-ci le rattrape à temps. De quel « protocole d'accord » s'agissait-il ? Mon père avait un bureau dans le grand immeuble couleur ocre du 1 rue Lord-Byron, où il dirigeait la Société africaine d'entreprise en compagnie d'une secrétaire, Lucienne Wattier, ancienne modiste qu'il tutoyait. C'est l'un de mes premiers souvenirs de rues parisiennes : la montée de la rue

Balzac puis, à droite, nous prenions le virage de la rue Lord-Byron. On pouvait aussi avoir accès à ce bureau en entrant dans l'immeuble du cinéma Normandie sur les Champs-Élysées et en suivant un labyrinthe de couloirs.

Sur la cheminée de la chambre de mon père, plusieurs volumes de « Droit maritime » qu'il étudie. Il pense à mettre en chantier un pétrolier en forme de cigare. Les avocats corses de mon père : maître Mariani que nous allions voir chez lui, maître Vizzavona. Promenades du dimanche avec mon père et un ingénieur italien, créateur d'un brevet pour « fours autoclaves ». Mon père sera très lié avec un certain M. Held, « radiesthésiste », qui avait toujours dans sa poche un pendule. Un soir, dans l'escalier, mon père m'a dit une phrase que je n'ai pas très bien comprise sur le moment — l'une des rares confidences qu'il m'ait faites : « On ne doit jamais négliger les petits détails… Moi, malheureusement, j'ai toujours négligé les petits détails… »

Ces années 1957-1958, apparaît un autre de ses comparses, un certain Jacques Chatillon. Je l'ai revu vingt ans plus tard — il se faisait appeler désormais James B. Chatillon.

Il avait épousé au début de l'Occupation la petite-fille d'un négociant à qui il servait de secrétaire, et il avait été, pendant cette période, marchand de chevaux à Neuilly. Il m'avait envoyé une lettre où il me parlait de mon père : « Ne sois pas désespéré qu'il soit mort dans la solitude. Ton père ne répugnait pas à la solitude. Il avait une imagination — à dire le vrai exclusivement tournée vers les affaires — très grande qu'il nourrissait soigneusement et qui nourrissait son esprit. Il n'était jamais seul car toujours "en connivence" avec ses échafaudages, c'est ce qui lui donnait cet air étrange et pour beaucoup déconcertant. Il était curieux de tout, même s'il n'adhérait pas. Il parvenait à donner une impression de calme, alors qu'il aurait été aisément violent. Lorsqu'il vivait une contrariété, ses yeux lançaient des éclairs. Ils étaient grands ouverts alors que d'ordinaire, il les voilait de ses paupières un peu lourdes. Par-dessus tout, il était dilettante. Ce qui augmentait encore la surprise de ses interlocuteurs, c'était sa flemme de parler, d'expliciter son propos. Il suggérait quelques mots allusifs… que ponctuaient quelques gestes de la main suivis de "voilà"… avec quelques raclements de gorge à la clé. À sa flemme de parler, il faut ajouter sa flemme d'écrire qu'il excusait à ses propres yeux par sa graphie peu lisible. »

James B. Chatillon aurait voulu que j'écrive les mémoires de l'un de ses amis, un truand corse, Jean Sartore, qui venait de mourir et avait fréquenté la bande de la rue Lauriston et son chef, Lafont, pendant l'Occupation. « Je déplore que tu n'aies pas pu écrire les mémoires de Jean Sartore mais tu te trompes en pensant qu'il était un vieil ami de Lafont. Il se servait de Lafont comme paratonnerre pour ses trafics d'or et de devises, encore plus pourchassé par les Allemands que par les Français. Cela précisé, il en savait long effectivement sur toute l'équipe Lauriston. »

En 1969, il m'avait téléphoné, à la suite de la parution de mon second roman, et il m'avait laissé un nom et un numéro où je pouvais le joindre. C'était chez un M. de Varga, plus tard compromis dans le meurtre de Jean de Broglie. Je me souviens d'un dimanche où nous avions fait une promenade au mont Valérien, mon père, moi et ce Chatillon, un brun trapu, le regard noir très vif sous des paupières fanées. Il nous emmenait dans une vieille Bentley aux banquettes de cuir défoncées — le seul bien qui lui restait. Au bout de quelque temps, il avait dû s'en séparer et il venait quai de Conti en Vélosolex. Il était très croyant. Un jour, je lui avais demandé sur le ton de la provocation : « La religion, à quoi ça sert ? » et il m'avait offert une biographie du pape Pie XI, avec cette dédicace : « Pour Patrick, qui comprendra peut-être en lisant ce livre "à quoi ça sert"… »

Souvent nous sommes seuls, les samedis soir, mon père et moi. Nous fréquentons les cinémas des Champs-Élysées et le Gaumont Palace. Un après-midi de juin, il faisait très chaud et nous marchions — je ne sais plus pourquoi — boulevard Rochechouart. Là, nous étions entrés, à l'abri du soleil, dans l'obscurité d'une petite salle : le Delta. Un documentaire, *Le procès de Nuremberg*, au cinéma George V. Je découvre à treize ans les images des camps d'extermination. Quelque chose a changé, pour moi, ce jour-là. Et mon père, que pensait-il ? Nous n'en avons jamais parlé ensemble, même à la sortie du cinéma.

Nous allions prendre une glace les nuits

d'été chez Ruc, ou à la Régence. Dîner à l'Alsacienne, aux Champs-Élysées, ou au restaurant chinois de la rue du Colisée. Le soir, nous mettions sur le pick-up de cuir grenat des échantillons de disques en plastique qu'il voulait lancer dans le commerce. Et sur sa table de nuit, je me souviens d'un livre : *Comment se faire des amis*, ce qui me fait comprendre aujourd'hui sa solitude. Un lundi matin de vacances, j'ai entendu des pas dans l'escalier intérieur qui menait au cinquième étage où était ma chambre. Puis des voix dans la grande salle de bains voisine. Des huissiers emportaient tous les costumes, les chemises et les chaussures de mon père. Quel stratagème avait-il employé pour éviter qu'ils saisissent les meubles ?

Grandes vacances 1958 et 1959 à Megève où j'étais seul avec une jeune fille, étudiante aux Beaux-Arts, qui veillait sur moi comme une grande sœur. L'hôtel de la Résidence était fermé et semblait abandonné. Nous traversions le hall, dans la pénombre, pour aller à la piscine. À partir de cinq heures du soir, au bord de cette piscine, jouait un orchestre italien. Un docteur et sa femme nous avaient loué deux chambres dans leur maison. Couple bizarre. La femme — une brune — avait l'air folle. Ils avaient adopté une fille de mon âge, douce comme tous les enfants mal-aimés et avec laquelle je passais des après-midi dans les salles de classe désertes de l'école voisine. Sous le soleil de l'été, une odeur d'herbe et de goudron.

Vacances de Pâques 1959, avec un camarade qui m'entraîne, pour que je ne reste pas enfermé au pensionnat, à Monte-Carlo chez sa grand-mère, la marquise de Polignac. C'est une Américaine. J'apprendrai plus tard qu'elle était la cousine d'Harry Crosby, éditeur de Lawrence et de Joyce à Paris et qui se suicida à trente ans. Elle conduit une traction avant noire. Son mari s'occupait de vins de Champagne, et ils ont fréquenté avant la guerre Joachim von Ribbentrop quand il était lui-même représentant en champagne. Mais le père de mon camarade est un ancien résistant et trotskiste. Il a écrit un livre sur le communisme yougoslave, préfacé par Sartre. Tout cela, je le saurai plus tard. À Monte-Carlo je passe des après-midi entiers chez cette marquise à feuilleter des albums de photos qu'elle a rassemblées, à partir des années vingt, illustrant la belle vie insouciante qu'ils ont menée, elle et son mari. Elle veut m'apprendre à conduire et me donne le volant de sa 15 CV sur une route en lacet. Je manque un virage et il s'en faut de peu que nous ne tombions dans le vide. Elle nous emmène à Nice, son petit-fils et moi, voir Luis Mariano au cirque Pinder.

Séjours en Angleterre, à Bornemouth en 1959 et 1960. Verlaine a habité dans ce coin-là : chalets éparpillés rouges dans le feuillage et les blanches villas des stations de bains… Je ne compte pas retourner en France. Je suis sans nouvelles de ma mère. Et je crois que ça arrange mon père si je reste en Angleterre plus longtemps que prévu. La famille chez qui j'habite ne peut plus me loger. Alors je me présente à la réception d'un hôtel avec les trois mille francs anciens que je possède, et ils me font coucher gratuitement dans un salon désaffecté, au rez-de-chaussée. Puis le directeur de l'école, où chaque matin je suis des cours d'anglais, ouvre, pour m'héberger, une sorte de débarras dans la cage de l'escalier. Je m'enfuis à Londres. J'arrive le soir à la gare de Waterloo. Je traverse Waterloo Bridge. Je suis terrorisé de me trouver seul dans cette ville qui me semble plus grande que Paris. À Trafalgar Square, d'une cabine rouge, je téléphone en PCV à mon père. J'essaye de lui cacher ma panique. Il n'a pas l'air très surpris de me savoir tout seul à Londres. Il me souhaite bonne chance, d'une voix indifférente. On accepte de me donner une chambre dans un petit hôtel de Bloomsburry, bien que je sois mineur. Mais pour une nuit seulement. Et le lendemain, je tente ma chance dans un autre hôtel, à Marble Arch. Là aussi, ils ferment les yeux sur mes quinze ans et me laissent une chambre minuscule. C'était encore l'Angleterre des teddy boys et le Londres où Christine Keeler venait de débarquer, à dix-sept ans, de sa banlieue. Plus tard, j'ai su que, cet été-là, elle travaillait comme serveuse dans un petit restaurant grec de Baker Street, tout près du restaurant turc où je mangeais, le soir, avant de me promener, anxieux, le long d'Oxford Street. « Et Thomas De Quincey, buvant / l'opium poison doux et chaste / À sa pauvre Anne allait rêvant... »

Une nuit de septembre 1959, avec ma mère et l'un de ses amis, dans un restaurant arabe de la rue des Écoles, le Koutoubia. Il est tard. Le restaurant est désert. C'est encore l'été. Il fait chaud. La porte est grande ouverte sur la rue. Ces années étranges de mon adolescence, Alger était le prolongement de Paris, et Paris recevait les ondes et les échos d'Alger, comme si le sirocco soufflait sur les arbres des Tuileries en apportant un peu de sable du désert et des plages... À Alger et à Paris, les mêmes Vespa, les mêmes affiches de films, les mêmes chansons dans les juke-box des cafés, les mêmes Dauphine dans les rues. Le même été à Alger que sur les Champs-Élysées. Ce soir-là, au Koutoubia, étions-nous à Paris ou à Alger ? Quelque temps plus tard, ils ont plastiqué le Koutoubia. Un soir à Saint-Germain-des-Prés — ou à Alger ? — on venait de plastiquer le magasin du chemisier Jack Romoli.

Cet automne 1959, ma mère joue une pièce au théâtre Fontaine. Les samedis soir de sortie, je fais quelquefois mes devoirs dans le bureau du directeur de ce théâtre. Et je me promène aux alentours. Je découvre le quartier Pigalle, moins villageois que Saint-Germain-des-Prés, et un peu plus trouble que les Champs-Élysées. C'est là, rue Fontaine, place Blanche, rue Frochot, que pour la première fois je frôle les mystères de Paris et que je commence, sans bien m'en rendre compte, à rêver ma vie.

Quai de Conti, deux nouveaux venus habitent l'appartement : Robert Fly, un ami de jeunesse de mon père, qui lui sert de chauffeur et l'accompagne partout dans une DS 19, et Robert Car, un couturier avec qui ma mère s'est liée sur le tournage du film *Le Cercle vicieux*, de Max Pecas, où elle jouait le rôle d'une riche et inquiétante étrangère, maîtresse d'un jeune peintre.

En janvier 1960, je fais une fugue du collège car je suis amoureux d'une certaine Kiki Daragane que j'ai rencontrée chez ma mère. Après avoir marché jusqu'aux hangars de l'aérodrome de Villacoublay, et rejoint en bus et en métro Saint-Germain-des-Prés, je tombe par hasard sur Kiki Daragane, au café-tabac Malafosse, au coin de la rue Bonaparte et du quai. Elle s'y trouve avec des amis étudiants aux Beaux-Arts. Ils me conseillent de rentrer chez moi. Je sonne à la porte mais personne ne répond. Mon père a dû partir avec Robert Fly, à bord de la DS 19. Ma mère, comme d'habitude, est absente. Il faut bien dormir quelque part. Je rentre au pensionnat par le métro et le bus, après avoir demandé un peu d'argent à Kiki et ses amis. Le directeur accepte de me garder jusqu'au mois de juin. Mais je serai renvoyé, à la fin de l'année scolaire.

Les rares jours de sortie, mon père et Robert Fly m'entraînent parfois dans leurs périples. Ils sillonnent les campagnes de l'Île-de-France. Ils ont rendez-vous avec des notaires et ils visitent des propriétés de toutes sortes. Ils font escale dans des auberges forestières. Il semble que mon père, pour une raison impérieuse, veuille se mettre « au vert ». À Paris, longs conciliabules entre Robert Fly et mon père, au fond d'un bureau où je les rejoins, 73 boulevard Haussmann. Robert Fly portait des moustaches blondes. En dehors du pilotage de la DS 19, j'ignore quelles pouvaient bien être ses activités. De temps en temps, m'expliquait-il, il faisait une « virée » à Pigalle, et il rentrait, quai de Conti, vers sept heures du matin. Robert Car a transformé en atelier de couture une chambre de l'appartement. Mon père lui a donné un surnom : Truffaldin, un personnage de la commedia dell'arte. C'est Robert Car qui habillait, dans

64

les années quarante, les premiers travestis : la Zambella, Lucky Sarcel, Zizi Moustic.

J'accompagne mon père rue Christophe-Colomb, où il visite un nouveau « comparse », un certain Morawski, dans un petit hôtel particulier de cette rue, au numéro 12 ou 14. Je l'attends en faisant les cent pas sous les feuillages des marronniers. C'est le début du printemps. Ma mère joue une pièce au théâtre des Arts, dont la directrice est une Mme Alexandra Roubé-Jansky. La pièce s'intitule *Les femmes veulent savoir*. Elle est écrite par un soyeux lyonnais et son amie, et ils la financent entièrement, louant eux-mêmes le théâtre et payant les acteurs. Chaque soir, la salle est vide. Les seuls spectateurs sont les quelques amis du soyeux lyonnais. Le metteur en scène a sagement conseillé au soyeux de ne pas faire venir les critiques, sous le prétexte qu'ils sont « méchants »…

Le dernier dimanche avant les grandes vacances, Robert Fly et mon père m'accompagnent le soir en DS 19 à l'école du Montcel et attendent que j'achève de faire ma valise. Après l'avoir rangée dans le coffre de la DS, je quitte définitivement Jouy-en-Josas par l'autoroute de l'Ouest.

Apparemment, on veut m'éloigner de Paris. En septembre 1960, je suis inscrit au collège Saint-Joseph de Thônes, dans les montagnes de Haute-Savoie. Un M. Jacques Gérin et sa femme Stella, la sœur de mon père, sont mes correspondants. Ils louent au bord du lac d'Annecy, à Veyrier, une maison blanche aux volets verts. Mais en dehors des rares dimanches de sortie où je quitterai quelques heures le collège, ils ne peuvent pas grand-chose pour moi.

« Jacky » Gérin travaille en dilettante « dans le textile », il est originaire de Lyon, bohème, amateur de musique classique, de ski et de belles voitures. Stella Gérin, elle, poursuit une correspondance avec l'avocat Pierre Jaccoud de Genève, inculpé de meurtre et en prison à l'époque. Quand Jaccoud sera libéré, elle ira le voir à Genève. Je le rencontrerai avec elle, au bar du Mövenpick, vers 1963. Il me parlera de littérature et en particulier de Mallarmé.

Jacky Gérin sert de prête-nom, à Paris, à mon oncle Ralph, le frère cadet de mon père : les « Établissements Gérin », 74 rue d'Hauteville, sont en fait dirigés par mon oncle Ralph. Je n'ai jamais élucidé la fonction exacte de ces Établissements Gérin, une sorte d'entrepôt au fond duquel mon oncle Ralph avait son bureau et vendait du « matériel ». Je lui avais demandé, quelques années plus tard, pourquoi ces établissements s'appelaient « Gérin » et non pas « Modiano », de son nom à lui. Il m'avait répondu avec son accent parisien : « Tu comprends, mon vieux, les noms à consonance italienne étaient mal vus après la guerre… »

Les derniers après-midi de vacances, je lis sur la petite plage de Veyrier-du-Lac *Le Diable au corps* et *Le Sabbat*. Quelques jours avant la rentrée, mon père m'envoie une lettre sévère qui risque d'entamer le moral d'un garçon bientôt prisonnier au pensionnat. Veut-il se donner bonne conscience en se persuadant qu'il a raison d'abandonner à son sort un délinquant ? « ALBERT RODOLPHE MODIANO 15 QUAI DE CONTI Paris VIᵉ, le 8 septembre 1960. Je te renvoie la lettre que tu m'as envoyée de Saint-Lô. Je dois te dire que je n'ai pas cru, une seconde, à la réception de cette lettre, que ton désir de rentrer à Paris était motivé par le fait de préparer un examen éventuel à ton futur collège. C'est pour cette raison que j'ai décidé que tu partirais, dès le lendemain matin, au train de 9 heures, à Annecy. J'attends ton comportement à cette nouvelle école et je ne peux que souhaiter pour toi que ta conduite soit exemplaire. J'avais l'intention de venir à Genève pour te voir. Ce voyage me semble, pour le moment, inutile. ALBERT MODIANO. »

Ma mère passe en coup de vent à Annecy, le temps de m'acheter deux articles de mon trousseau, une blouse grise et une paire de chaussures d'occasion aux semelles de crêpe qui me dureront une dizaine d'années et ne prendront jamais l'eau. Elle me quitte bien avant le soir de la rentrée. C'est toujours pénible de voir un enfant rejoindre le pensionnat en sachant qu'il y restera prisonnier. On aimerait le retenir. Se pose-t-elle la question ? Apparemment je ne trouve pas grâce à ses yeux. Et puis elle doit partir pour un long séjour en Espagne.

Encore septembre. Rentrée des classes, un dimanche soir. Les premiers jours au collège Saint-Joseph sont durs pour moi. Mais je m'y fais vite. Depuis quatre ans déjà, je fréquente les pensionnats. Mes camarades de Thônes sont pour la plupart d'origine paysanne et je les préfère aux voyous dorés du Montcel.

Malheureusement, les lectures sont surveillées. En 1962, je serai renvoyé quelques jours pour avoir lu *Le Blé en herbe*. Grâce à mon professeur de français, l'abbé Accambray, j'obtiendrai la permission « spéciale » de lire *Madame Bovary*, interdit aux autres élèves. J'ai gardé l'exemplaire du livre où il est écrit : « Approuvé - Classe de seconde » avec la signature du chanoine Janin, le directeur du collège. L'abbé Accambray m'avait conseillé un roman de Mauriac, *Les Chemins de la mer*, qui m'avait beaucoup plu, surtout la fin — au point de me souvenir encore aujourd'hui de la dernière phrase : « … comme dans les aubes noires d'autrefois. » Il m'avait fait lire aussi *Les Déracinés*. Avait-il senti que ce qui me manquait un peu, c'était un village de Sologne ou du Valois, ou plutôt le rêve que je m'en faisais ? Mes livres de chevet, au dortoir, dans la table de nuit : *Le Métier de vivre* de Pavese. Ils ne pensent pas à me l'interdire. *Manon Lescaut. Les Filles du feu. Les Hauts de Hurlevent. Le Journal d'un curé de campagne.*

Quelques heures de sortie une fois par mois et le car du dimanche soir me ramène au collège. Je l'attends au pied d'un grand arbre, du côté de la mairie de Veyrier-du-Lac. Je dois souvent faire le trajet debout. Des paysans rentrent à leur ferme après un dimanche en ville. La nuit tombe. On passe devant le château de Menthon-Saint-Bernard, le petit cimetière d'Alex et celui des héros du plateau des Glières. Ces cars du dimanche soir et ces trains Annecy-Paris, bondés comme pendant l'Occupation. D'ailleurs cars et trains sont à peu près les mêmes qu'alors.

Putsch d'Alger dont je suis les péripéties, au dortoir, sur un petit transistor en me disant qu'il faut profiter de la panique générale pour m'enfuir du collège. Mais l'ordre est rétabli en France, le dimanche soir suivant.

Les veilleuses du dortoir. Les retours au

dortoir après les vacances. La première nuit est pénible. On se réveille et on ne sait plus où on est. Les veilleuses vous le rappellent brutalement. Extinction des feux à 21 heures. Le lit trop petit. Les draps qu'on ne change pas pendant des mois et qui puent. Les vêtements aussi. Lever à 6 h 15. Toilette sommaire, à l'eau froide, devant les lavabos de dix mètres de long, abreuvoirs surmontés d'une rangée de robinets. Étude. Petit déjeuner. Café sans sucre dans un bol en métal. Pas de beurre. À la récréation du matin, sous le préau, nous pouvons lire, par groupes, un exemplaire du journal *L'Écho Liberté*. Distribution d'une tranche de pain sec et d'un carré de chocolat noir à 16 heures. Polenta pour le dîner. Je crève de faim. J'ai des vertiges. Un jour, avec quelques camarades, nous prenons à partie l'économe, l'abbé Bron, en lui disant que nous n'avons pas assez à manger. Promenade de la classe le jeudi après-midi autour de Thônes. J'en profite pour acheter *Les Lettres françaises, Arts* et les *Nouvelles littéraires* au village. Je les lis de la première à la dernière ligne. Tous ces hebdomadaires s'entassent dans ma table de nuit. Récréation après le déjeuner où j'écoutais le transistor. Là-bas, derrière les arbres, les plaintes monotones de la scierie. Jours interminables de pluie sous le préau. La rangée des chiottes à la turque avec leurs portes qui ne ferment pas. Le Salut à la chapelle, le soir, avant de rentrer, en rang, au dortoir. La neige, pendant six mois. Cette neige, je lui ai toujours trouvé quelque chose d'émouvant et d'amical. Et une chanson, cette année-là, dans le transistor : *Non je ne me souviens plus du nom du bal perdu…*

Au cours de l'année scolaire, je reçois de rares lettres de ma mère, venant d'Andalousie. La plupart de ces lettres m'arrivent chez les Gérin, à Veyrier-du-Lac, sauf deux ou trois d'entre elles, au collège. Les lettres reçues et envoyées doivent être décachetées et le chanoine Janin juge que c'est bizarre, cette mère sans mari, en Andalousie. Elle m'écrit, de Séville : « Tu devrais commencer à lire Montherlant. Je crois que tu pourrais beaucoup apprendre de lui. Mon vieux garçon, écoute-moi sérieusement. Fais-le, je t'en prie, lis Montherlant. Tu trouveras de bons conseils chez lui. Comment un jeune homme doit se comporter vis-à-vis des femmes, par exemple. Vraiment, en lisant *Les Jeunes Filles* de Montherlant, tu apprendras beaucoup de choses. » J'avais été très surpris de sa véhémence : ma mère n'avait pas lu une ligne de Montherlant. C'était un ami à elle, le journaliste Jean Cau, qui lui avait soufflé de me donner ce conseil. Aujourd'hui, je suis bien perplexe : souhaitait-il vraiment que Montherlant devînt mon guide dans le domaine sexuel ? J'avais donc fait une lecture naïve des *Jeunes Filles*. Je préfère, de Montherlant, *Le Fichier parisien*. En 1961, ma mère m'enverra par mégarde une autre lettre qui intriguera le chanoine. Dans celle-ci, des coupures de presse sur une comédie : *Le Signe de Kikota* qu'elle joue en tournée avec Fernand Gravey.

Noël 1960, à Rome avec mon père et son amie, une Italienne très nerveuse, de vingt ans plus jeune que lui, les cheveux jaune paille et l'allure d'une fausse Mylène Demongeot. Une photo de réveillon, prise dans une boîte de nuit proche de la via Veneto, illustre ce séjour. J'y ai l'air pensif et je me demande, quarante ans après, ce que je pouvais bien faire là. Pour me consoler, je me dis que la photo est un montage. La fausse Mylène Demongeot veut obtenir l'annulation religieuse d'un premier mariage. Un après-midi, je l'accompagne du côté du Vatican, chez un monseigneur Pendola. Celui-ci, en dépit de sa soutane et de la photo dédicacée du pape sur son bureau, ressemble aux affairistes que mon père retrouvait au Claridge. Mon père avait paru étonné, ce Noël-là, de mes profondes engelures aux mains.

Pensionnat, de nouveau, jusqu'aux grandes vacances. Début juillet, ma mère revient d'Espagne. Je vais la chercher à l'aéroport de Genève. Elle s'est teinte en brune. Elle s'installe à Veyrier-du-Lac chez les Gérin. Elle n'a pas un sou. À peine une paire de chaussures. Le séjour en Espagne n'a pas été fructueux et pourtant elle n'a rien perdu de sa morgue. Elle raconte, le menton altier, des histoires « sublimes » d'Andalousie et de toreros. Mais sous le cabotinage et la fantaisie, le cœur n'était pas tendre. Mon père passe quelques jours dans les environs, accompagné du marquis Philippe de D. avec qui il est en affaires. Un grand blond moustachu et tonitruant, suivi d'une maîtresse brune. Il emprunte son passeport à mon père pour aller en Suisse. Ils ont la même taille, la même moustache et la même corpulence, et D. a perdu ses papiers car il vient de quitter la

Tunisie en catastrophe, à cause des événements de Bizerte. Je me revois entre mon père, Philippe de D. et la maîtresse brune sur la terrasse du Père Bise à Talloires et, encore une fois, je me demande ce que je pouvais bien faire là. En août, nous partons, ma mère et moi, à Knokke-le-Zoute, où les membres d'une famille dont elle était l'amie avant guerre nous recueillent dans leur petite villa. C'est gentil de leur part, sinon nous aurions dormi à la belle étoile ou à l'Armée du Salut. Lourde jeunesse dorée qui fréquentait le karting. Des industriels de Gand aux allures désinvoltes de yachtmen se saluaient de leurs voix graves, dans un français auquel ils s'efforçaient de donner des intonations anglaises. Un ami de jeunesse de ma mère, l'air d'un vieil enfant dévoyé, dirigeait une boîte de nuit derrière les dunes, vers Ostende. Puis je retourne tout seul en Haute-Savoie. Ma mère regagne Paris. Une autre année scolaire commence pour moi au collège Saint-Joseph.

Vacances de la Toussaint 1961. La rue Royale, à Annecy, sous la pluie et la neige fondue. Dans la vitrine du libraire, le roman de Moravia, *L'Ennui*, avec sa bande : « Et sa diversion : l'érotisme ». Pendant ces vacances grises de la Toussaint, je lis *Crime et Châtiment*, et c'est mon seul réconfort. J'attrape la gale. Je vais voir une doctoresse dont j'ai trouvé le nom en consultant l'annuaire d'Annecy. Elle paraît étonnée de mon état de faiblesse. Elle me demande : « Vous avez des parents ? » Devant sa sollicitude et sa douceur maternelle, je dois me retenir pour ne pas fondre en larmes.

En janvier 1962, une lettre de ma mère qui, par chance, ne tombe pas entre les mains du chanoine Janin : « Je ne t'ai pas téléphoné cette semaine, je n'étais pas chez moi. Vendredi soir, j'étais au cocktail que Litvak a donné sur le plateau de son film. J'ai été aussi à la première du film de Truffaut *Jules et Jim*, et ce soir je vais voir la pièce de Calderón au TNP... Je pense à toi et je sais combien tu travailles. Courage, mon cher garçon. Je ne regrette toujours pas d'avoir refusé la pièce avec Bourvil. Je serais trop malheureuse de jouer un rôle aussi vulgaire. J'espère bien trouver autre chose. Mon garçon, ne crois pas que je t'oublie mais j'ai si peu de temps pour t'envoyer des paquets. »

En février 1962, je profite des vacances de Mardi gras et je prends un train bondé pour

Paris, avec 39 de fièvre. J'espère que mes parents, me voyant malade, accepteront de me garder quelque temps à Paris. Ma mère s'est installée au troisième étage de l'appartement, où il ne reste aucun meuble sauf un canapé défoncé. Mon père occupe le quatrième avec la fausse Mylène Demongeot. Chez ma mère, je retrouve le journaliste Jean Cau, protégé par un garde du corps à cause des attentats de l'OAS. Curieux personnage que cet ancien secrétaire de Sartre, à tête de loup-cervier et fasciné par les toreros. À quatorze ans, je lui avais fait croire que le fils de Stavisky, sous un faux nom, était mon voisin de dortoir et que ce camarade m'avait confié que son père était encore vivant quelque part en Amérique du Sud. Cau était venu au collège en 4 CV, voulant à tout prix connaître le « fils de Stavisky » dans l'espoir d'un scoop. Je retrouve aussi, cet hiver-là, Jean Normand (alias Jean Duval), un ami de ma mère qui me conseillait de lire des Série Noire quand j'avais onze ans. À l'époque, en 1956, je ne pouvais pas savoir qu'il venait de sortir de prison. Il y a aussi Mireille Ourousov. Elle dort dans le salon sur le vieux canapé. Une brune de vingt-huit ou trente ans. Ma mère l'a connue en

Andalousie. Elle est mariée à un Russe, Eddy Ourousov, surnommé « le Consul » parce qu'il boit autant que le personnage de Malcolm Lowry — des « cuba libre ». Ils tiennent tous les deux un petit hôtel-bar à Torremolinos. Elle est française. Elle m'explique qu'à dix-sept ans, le matin où elle devait passer son bac, le réveil n'a pas sonné. Elle a dormi jusqu'à midi. C'était quelque part du côté des Landes. La nuit, ma mère est absente, et je reste en compagnie de Mireille Ourousov. Elle n'arrive pas à dormir dans ce vieux canapé défoncé. Et moi, j'ai un grand lit… Un matin, je suis avec elle place de l'Odéon. Une Gitane nous lit les lignes de la main, sous l'arcade de la Cour du Commerce Saint-André. Mireille Ourousov me dit qu'elle serait curieuse de me connaître dans dix ans.

Retour à Thônes dans la grisaille de mars. L'évêque d'Annecy rend une visite solennelle au collège. On lui baise son anneau. Discours. Messe. Et je reçois de mon père une lettre que le chanoine Janin n'a pas ouverte et qui, si elle avait correspondu à la réalité, serait la lettre d'un bon père à son bon fils : « Le 2 mai 1962. Mon cher Patrick, nous devons tout nous dire avec la plus grande franchise, c'est le seul et unique moyen de ne pas devenir des étrangers comme cela arrive, malheureusement trop souvent, dans de nombreuses familles. Je suis content que tu me parles du problème qui se pose à toi aujourd'hui : ce que tu feras plus tard, dans quel sens orienter ta vie. Tu m'expliques, d'une part que tu as compris que les diplômes sont nécessaires pour avoir une situation, et d'autre part, que tu as besoin de t'exprimer en écrivant des livres ou des pièces de théâtre et que tu voudrais te consacrer entièrement à cela. La plupart des hommes qui ont remporté les plus grands succès littéraires, à part quelques rares exceptions, ont fait de très brillantes études. Tu connais, comme moi, de nombreux exemples : Sartre n'aurait probablement pas écrit certains de ses livres s'il n'avait poursuivi ses études jusqu'à l'agrégation de philosophie. Claudel a écrit *Le Soulier de satin* quand il était jeune attaché d'ambassade au Japon, après être sorti brillamment des "Sciences-Po". Romain Gary qui a eu le prix Goncourt, est un ancien élève des "Sciences-Po", consul aux États-Unis. » Il aurait souhaité que je sois ingénieur agronome. Il pensait que c'était un métier d'avenir. S'il attachait tant d'importance aux études, c'est que lui n'en avait pas fait et qu'il était un peu comme ces gangsters qui veulent que leurs filles soient éduquées au pensionnat par les « frangines ». Il parlait avec un léger accent parisien — celui de la cité d'Hauteville et de la rue des Petits-Hôtels et aussi de la cité Trévise, là où l'on entend le murmure de la fontaine sous les arbres dans le silence. Il employait de temps en temps des mots d'argot. Mais il pouvait inspirer confiance à des bailleurs de fonds, car son allure était celle d'un homme aimable et réservé, de haute taille et qui s'habillait de costumes très stricts.

Je passe mon baccalauréat à Annecy. Ce sera mon seul diplôme. Paris en juillet. Mon père. Ma mère. Elle joue dans une reprise des *Portes claquent* au Daunou. La fausse Mylène Demongeot. Le parc Monceau où je lis les articles sur la fin de la guerre en Algérie. Le bois de Boulogne. Je découvre *Voyage au bout de la nuit.* Je suis heureux quand je marche seul dans les rues de Paris. Un dimanche d'août, vers le sud-est, boulevard Jourdan et boulevard Kellermann, dans ce quartier que je devais bien connaître plus tard, j'apprends à la devanture d'un marchand de journaux le suicide de Marilyn Monroe.

Le mois d'août à Annecy. Claude. Elle avait vingt ans cet été 1962. Elle travaillait chez un couturier de Lyon. Puis elle a été mannequin « volant ». Puis à Paris, mannequin tout court. Puis elle s'est mariée avec un prince sicilien et elle est allée vivre à Rome où le temps s'arrête pour toujours. Robert. Il faisait scandale à Annecy en revendiquant à très haute voix sa qualité de « tante ». Il était un paria dans cette ville de province. Ce même été 1962, il avait vingt-six ans. Il m'évoquait « Divine » de *Notre-Dame-des-Fleurs*. Très jeune, Robert avait été l'ami du baron belge Jean L. au cours d'un séjour que celui-ci avait fait à l'Impérial Palace d'Annecy, ce même baron dont ma mère avait connu le rabatteur à Anvers en 1939. J'ai revu Robert en 1973. Un dimanche soir, à Genève, nous étions dans sa voiture quand il a traversé le pont des Bergues et il était tellement ivre que nous avons failli basculer dans le Rhône. Il est mort en 1980. Il portait des traces de coups sur le visage et la police a arrêté l'un de ses amis. Je l'ai lu dans un journal : « La vraie mort d'un personnage de roman. »

Une fille, Marie. En été, elle prenait comme moi le car à Annecy, place de la Gare, à sept heures du soir après son travail. Elle rentrait à Veyrier-du-Lac. Je l'ai connue dans ce car. Elle était à peine plus âgée que moi et elle travaillait déjà comme dactylo. Pendant ses jours de congé, nous nous retrouvions sur la petite plage de Veyrier-du-Lac. Elle lisait l'*Histoire d'Angleterre* de Maurois. Et des romans-photos que j'allais lui acheter avant de la rejoindre sur la plage.

Les gens de mon âge que l'on voyait au Sporting ou à la Taverne et que le vent emporte : Jacques L. dit « le Marquis », fils d'un milicien fusillé en août 1944 au Grand-Bornand. Pierre Fournier qui portait une canne à pommeau. Et ceux qui appartenaient à la génération de la guerre d'Algérie : Claude Brun, Zazie, Paulo Hervieu, Rosy, la Yeyette qui avait été la maîtresse de Pierre Brasseur. Dominique la brune à la veste de cuir noir passait sous les arcades et l'on disait qu'elle vivait « de ses charmes » à Genève… Claude Brun et ses amis. Des *vitelloni*. Leur film culte était *La Belle Américaine*. Au retour de la guerre d'Algérie, ils avaient acheté des voitures MG d'occasion. Ils m'ont emmené à un match de football « en nocturne ». L'un d'eux avait fait le pari de séduire la femme du préfet en quinze jours et de l'entraîner au Grand Hôtel de Verdun, et il avait gagné son pari ; un autre était l'amant d'une femme riche et très jolie, veuve d'un notable, et qui fréquentait, l'hiver, le club de bridge au premier étage du casino.

Je prenais le car pour aller à Genève, où, quelquefois, j'étais en compagnie de mon père. Nous déjeunions dans un restaurant italien avec un nommé Picard. L'après-midi, il avait des rendez-vous. Étrange Genève du tout début des années soixante. Des Algériens parlaient à voix basse dans le hall de l'hôtel du Rhône. Je me promenais du côté de la vieille ville. On disait que Dominique la brune, dont j'étais amoureux, travaillait la nuit au club 58, rue Glacis-de-Rive. Sur le chemin du retour, le car franchissait la frontière au crépuscule, sans s'arrêter pour le contrôle de la douane.

L'été 1962, ma mère est venue en tournée à Annecy, jouer au théâtre du Casino *Écoutez bien, messieurs* de Sacha Guitry, avec Jean Marchat et Michel Flamme, un blond du genre « beau gosse » — en slip de bain léopard. Il nous offrait des rafraîchissements à la buvette du Sporting. Une promenade du dimanche le long de la pelouse du Paquier, avec Claude, quand les vacances étaient finies. L'automne déjà. Nous passions devant la préfecture où travaillait l'une de ses amies. Annecy redevenait une ville de province. Sur le Paquier, nous croisions un vieil Arménien, toujours seul, dont Claude me disait qu'il était un commerçant très riche et qu'il donnait beaucoup d'argent aux filles et aux pauvres. Et la voiture grise de Jacky Gérin, carrossée par Allemano, tourne autour du lac, lentement, pour l'éternité. Je vais continuer d'égrener ces années, sans nostalgie mais d'une voix précipitée. Ce n'est pas ma faute si les mots se bousculent. Il faut faire vite, ou alors je n'en aurai plus le courage.

En septembre, à Paris, j'entre au lycée Henri-IV, classe de philosophie, comme interne, alors que mes parents habitent à quelques centaines de mètres du lycée. Cela fait six ans que je suis pensionnaire. J'avais connu une discipline plus dure dans les collèges précédents, mais jamais un internat ne me fut aussi pénible que celui d'Henri-IV. Surtout à l'heure où je voyais les externes sortir, par le grand porche, dans la rue.

Je ne me souviens plus très bien de mes camarades d'internat. Il me semble que trois garçons originaires de Sarreguemines préparaient l'École normale supérieure. Un Martiniquais de ma classe se joignait souvent à eux. Un autre élève fumait toujours une pipe, et portait une blouse grise et des charentaises. On disait qu'il n'avait pas quitté l'enceinte du lycée depuis trois ans. Je me souviens aussi, vaguement, de mon voisin de dortoir, un petit roux, que j'ai aperçu deux ou trois ans plus tard, de loin, boulevard Saint-Michel dans un uniforme de bidasse, sous la pluie... Après l'extinction des feux, un veilleur de nuit traversait les dortoirs, une lanterne à la main, et vérifiait si chaque lit était bien occupé. C'était l'automne de 1962, mais aussi le dix-neuvième siècle et peut-être une époque encore plus reculée dans le temps.

Mon père est venu une seule fois me rendre visite dans cet établissement. Le proviseur du lycée m'avait donné l'autorisation de l'attendre sous le porche de l'entrée. Ce proviseur portait un joli nom : Adonis Delfosse. La silhouette de mon père, là, sous le porche, mais je ne distingue pas son visage, comme si sa présence dans ce décor de couvent médiéval me paraissait irréelle. La silhouette d'un homme de haute taille, sans tête. Je ne sais plus s'il existait un parloir. Je crois que notre entrevue a eu lieu au premier étage dans une salle qui était la bibliothèque, ou bien la salle des fêtes. Nous étions seuls, assis à une table, l'un en face de l'autre. Je l'ai raccompagné jusqu'au porche du lycée. Il s'est éloigné sur la place du Panthéon. Un jour, il m'avait confié qu'il fréquentait lui aussi, à dix-huit ans, le quartier des Écoles. Il avait tout juste assez d'argent pour prendre en guise de repas un café au lait avec quelques croissants au Dupont-Latin. En ce temps-là, il avait un voile au poumon. Je ferme les yeux et je l'imagine remontant le boulevard Saint-Michel, parmi les sages lycéens et les étudiants d'Action française. Son Quartier latin à lui, c'était plutôt celui de Violette Nozière. Il avait dû la croiser souvent sur le boulevard. Violette, « la belle écolière du lycée Fénelon, qui élevait des chauves-souris dans son pupitre ».

Mon père est remarié avec la fausse Mylène Demongeot. Ils habitent au quatrième étage, au-dessus de chez ma mère. Les deux étages formaient un même appartement du temps où mes parents vivaient ensemble. En 1962, les deux appartements ne sont pas encore séparés. Derrière une porte condamnée, subsiste l'escalier intérieur que mon père avait fait construire en 1947, quand il avait commencé à louer le troisième étage. La fausse Mylène Demongeot ne tient pas à ce que je sois externe et que je continue à voir mon père. Après deux mois d'internat, je reçois cette lettre de mon père : « ALBERT RODOLPHE MODIANO, 15 QUAI DE CONTI, Paris VIe. Tu es monté ce matin à 9 h 15 pour me faire savoir que tu avais décidé de ne pas retourner au lycée tant que je ne serai pas revenu sur ma décision de te laisser interne. Vers 12 h 30, tu m'as encore confirmé ce qui précède. Ton comportement est inqualifiable. Si tu t'imagines que c'est en employant de telles méthodes de petit maître chanteur que je céderai, tu te fais bien des illusions. Je te conseille donc vivement dans ton intérêt de retourner demain matin, avec un mot d'excuse justifiant ton absence pour cause de grippe, auprès de ton directeur. Je dois te prévenir de la façon la plus catégorique que si tu agis autrement, tu le regretteras. Tu as 17 ans, tu es mineur, je suis ton père, et je suis responsable de tes études. Je compte aller rendre visite à ton directeur d'école. Albert Modiano. »

Ma mère n'a pas d'argent et aucun engagement théâtral en cet octobre 1962. Et mon père menace de ne plus subvenir à mon entretien si je ne réintègre pas le dortoir de l'internat. En y réfléchissant aujourd'hui, il me semble que je ne lui coûtais pas cher : le prix modeste de l'internat. Mais je me souviens de l'avoir vu à la fin des années cinquante, complètement « raide », au point de m'emprunter les mille francs anciens que m'envoyait parfois mon grand-père de Belgique sur sa retraite d'ouvrier. Je me sentais plus proche de lui que de mes parents.

Je continue à faire la « grève » de l'internat. Un après-midi, nous n'avons plus un sou, ma mère et moi. Nous nous promenons dans les jardins des Tuileries. En dernier recours, elle décide de demander une aide à son amie Suzanne Flon. Nous allons à pied chez Suzanne Flon, sans même la menue monnaie pour deux tickets de métro. Elle nous reçoit dans son appartement de l'avenue George-V aux terrasses superposées. On se croirait à bord d'un navire. Nous restons dîner chez elle. Ma mère, sur un ton de mélodrame, lui expose nos « malheurs », bien campée sur ses jambes, le geste théâtral et péremptoire. Suzanne Flon écoute avec bienveillance, navrée de cette situation. Elle se propose d'écrire une lettre à mon père. Elle donne de l'argent à ma mère.

Les mois suivants, mon père doit se résoudre à ce que je quitte pour toujours les dortoirs que je fréquentais depuis l'âge de onze ans. Il me fixe rendez-vous dans des cafés. Et il ressasse ses griefs contre ma mère et contre moi. Je ne parviens pas à établir entre nous une intimité. Je suis obligé de lui mendier, chaque fois, un billet de cinquante francs qu'il finit par me donner de très mauvaise grâce et que je rapporte à ma mère. Certains jours, je ne rapporte rien, ce qui provoque chez elle des accès de colère. Très vite — vers dix-huit ans et les années suivantes —, je m'efforcerai de lui trouver par mes propres moyens ces malheureux billets de cinquante francs à l'effigie de Jean Racine, mais sans réussir à désarmer l'agressivité et le manque de bienveillance qu'elle m'aura toujours témoignés. Jamais je n'ai pu me confier à elle ni lui demander une aide quelconque. Parfois, comme un chien sans pedigree et qui a été un peu trop livré à lui-même, j'éprouve la tentation puérile d'écrire noir sur blanc et en détail ce qu'elle m'a fait subir, à cause de sa dureté et de son inconséquence. Je me tais. Et je lui pardonne. Tout cela est désormais si lointain… Je me souviens d'avoir recopié, au collège, la phrase de Léon Bloy : « L'homme a des endroits de son pauvre cœur qui n'existent pas encore et où la douleur entre afin qu'ils soient. » Mais là, c'était une douleur pour rien, de celles dont on ne peut même pas faire un poème.

La dèche aurait dû nous rapprocher. Une année — 1963 — il faut « raccorder » le gaz dans l'appartement. Des travaux sont nécessaires. Ma mère n'a pas d'argent pour les payer. Moi non plus. Nous faisons la cuisine sur un réchaud à alcool. Nous n'allumons jamais le chauffage, l'hiver. Ce manque d'argent nous poursuivra longtemps. Un après-midi de janvier 1970, nous sommes tellement aux abois qu'elle me traîne au mont-de-piété de la rue Pierre-Charron où je dépose un stylo « en or avec plume de diamant » qui m'a été remis par Maurice Chevalier à l'occasion d'un prix littéraire. Ils ne m'en donnent que deux cents francs que ma mère empoche, l'œil dur.

Nous avons connu pendant toutes ces années l'« angoisse du terme ». Les loyers de ces vieux appartements, délabrés depuis l'avant-guerre, n'étaient pas très importants à l'époque. Puis ils ont augmenté à partir de 1966 à mesure que changeaient le quartier, ses commerces et ses habitants. Que l'on ne m'en veuille pas pour de tels détails mais ils m'ont causé quelques soucis, vite dissipés, car je croyais au miracle et je me perdais dans des rêves balzaciens de fortune.

Après mes rendez-vous navrants avec mon père, nous ne rentrons jamais ensemble dans l'immeuble. Lui rentre d'abord, et moi, selon ses instructions, je dois attendre quelque temps, en faisant le tour du pâté de maisons. Il cache à la fausse Mylène Demongeot nos rendez-vous. D'habitude, je le vois en tête à tête. Un jour, nous déjeunons avec le marquis Philippe de D. et le repas se partage entre deux restaurants, l'un quai du Louvre et l'autre quai des Grands-Augustins. Mon père m'explique que Philippe de D. a l'habitude de déjeuner dans plusieurs restaurants à la fois, où il donne rendez-vous à des gens différents... Il prend une entrée dans l'un, un plat dans l'autre et change encore de restaurant pour le dessert.

Le jour où nous suivons Philippe de D. du quai du Louvre au quai des Grands-Augustins, il est habillé d'une sorte de vareuse militaire. Il prétend avoir été membre de l'escadrille Normandie-Niémen pendant la guerre.

Souvent, mon père va pour le week-end chez D. dans son château, en Loire-Atlantique. Il y participe même à des chasses aux canards, ce qui n'est pas tout à fait dans ses cordes. Je me souviens des quelques jours de 1959 que nous avions passés en Sologne, chez Paul Bertholle, sa femme et le comte de Nalèche et où j'avais peur que mon père m'abandonne et que ces tueurs m'entraînent dans leur chasse à courre. Comme il était en « affaires » avec Paul Bertholle, il est en « affaires » avec Philippe de D. D'après mon père, D., dans sa jeunesse, a été un fils de famille dévoyé et a même connu la prison. Il me montrera plus tard une photo découpée dans un vieux *Détective* où on le voit les menottes aux poignets. Mais D. vient de toucher un gros héritage de sa grand-mère (née de W.) et je suppose que mon père a besoin de lui comme bailleur de fonds. Depuis la fin des années cinquante, il poursuit en effet un rêve, celui de racheter les actions d'un domaine en Colombie. Et il compte certainement sur Philippe de D. pour l'aider à réaliser ce projet.

D. épousera une championne de courses automobiles et finira sa vie ruiné : d'abord directeur d'une boîte de nuit à Hammamet, puis garagiste à Bordeaux. Mon père, lui, restera quelques années encore fidèle à son rêve colombien. En 1976, un ami me transmettra une fiche où l'on peut lire ces indications : « Compagnie financière Mocupia. Siège social : Paris (9ᵉ) 22 rue Bergère. Tél. 770.76.94. Société anonyme française. Administrateurs et dirigeants : Président-Directeur général : M. Albert Rodolphe Modiano. Administrateurs : MM. Charles Ruschewey, Léon-Michel Tesson… Société Kaffir Trust (M. Raoul Melenotte). »

J'ai pu identifier les membres de ce conseil d'administration, le premier, Tesson, quand j'avais reçu en septembre 1972, par erreur, ce télégramme de Tanger, à la place de mon père : 1194 TANGER 34601 URGENT RÉGLER LOYER BERGÈRE — STOP — MA SECRÉTAIRE IMMOBILISÉE — STOP. RÉPONDRE URGENT TESSON. Ce Tesson était financier à Tanger. Quant à Melenotte, de la Kaffir Trust, il avait été membre de l'administration internationale de la zone franche.

Et puis, au cours de ces années 1963-1964, je rencontre avec mon père un troisième homme du conseil d'administration : Charles Ruschewey. Mon père, pour me mettre en garde contre des études trop « littéraires », prend comme exemple d'un échec ce Charles Ruschewey qui a été en khâgne à Louis-le-Grand le condisciple de Roger Vailland et de Robert Brasillach, et qui n'a rien fait de bon dans l'existence. Au physique, une sorte de Suisse égrillard, amateur de bières, un chanoine en civil, aux lunettes cerclées d'acier et aux lèvres molles, qui fréquenterait en secret les « tasses » de Genève. Divorcé, cinquante ans, il vit avec une femme plus jeune que lui, boulotte et les cheveux courts, dans une chambre de rez-de-chaussée sans fenêtre du XVIe arrondissement. On le sent prêt à toutes les compromissions. Il doit servir à mon père de factotum et de « baron », ce qui ne l'empêche pas de me faire la morale, d'une voix docte de Tartuffe. En 1976, je le croiserai dans l'escalier du quai de Conti, vieilli, l'air d'un clochard, le visage tuméfié, portant un sac à provisions d'un bras de somnambule. Et je m'apercevrai qu'il habite dans l'appartement du quatrième étage que mon père vient de quitter pour la Suisse et qui est vide du moindre meuble, le chauffage, l'eau et l'électricité coupés. Il y végète en squatter, avec sa femme. Elle l'envoie faire les courses — sans doute quelques boîtes de conserve. Elle est devenue une mégère : je l'entends hurler chaque fois que ce malheureux rentre dans l'appartement. Je suppose qu'il ne doit plus compter sur ses jetons de présence au conseil d'administration de la Mocupia. Je recevrai par erreur en 1976 un rapport de cette compagnie financière, selon lequel « des instructions ont été données à l'avocat de notre société à Bogotá pour que la procédure en indemnité soit engagée devant la juridiction colombienne. À titre indicatif, nous vous informons que M. Albert Modiano, votre président-directeur général, est administrateur de la Société South American Timber et représente notre société dans cette filiale ». Mais la vie est dure et injuste, et elle dissipe les plus beaux rêves : le président-directeur général ne touchera jamais d'indemnités de Bogotá.

Noël 1962. Je ne sais plus s'il y avait vraiment de la neige, ce Noël-là. En tout cas, dans mon souvenir, je la vois tomber la nuit, à gros flocons, sur la route et les écuries. J'avais été recueilli au haras de Saint-Lô par Josée et Henri B., Josée, la jeune fille qui veillait sur moi de onze à quatorze ans, en l'absence de ma mère. Henri, son mari, était vétérinaire du haras. Ils étaient mon seul recours.

Les années suivantes, je reviendrai souvent chez eux à Saint-Lô. La ville que l'on nommait la « capitale des ruines » a été anéantie sous les bombes du débarquement et de nombreux survivants ont perdu les traces et les preuves de leur identité. Il a fallu reconstruire Saint-Lô jusqu'aux années cinquante. Près du haras, il reste encore une zone de baraquements provisoires. J'irai au café du Balcon et à la bibliothèque municipale, Henri m'emmènera dans les fermes des alentours, où il soigne les animaux même la nuit, quand on l'appelle. Et la nuit, justement, à la pensée de tous ces chevaux qui montaient la garde autour de moi ou dormaient dans leurs écuries, j'étais soulagé qu'eux, au moins, on ne les emmenât pas à l'abattoir, comme la file de ceux que j'avais vus, un matin, porte Brancion.

À Saint-Lô, je me ferai quelques amies. L'une d'elles habitait dans la centrale électrique. Une autre, à dix-huit ans, voulait monter à Paris et s'inscrire au Conservatoire. Elle me confiait ses projets dans un café, près de la gare. En province, à Annecy, à Saint-Lô, c'était encore l'époque où tous les rêves et les promenades nocturnes échouaient devant la gare d'où partait le train pour Paris.

J'ai lu *Illusions perdues*, ce Noël 1962. J'occupais toujours la même chambre au dernier étage de la maison. Sa fenêtre donnait sur la route. Je me souviens que chaque dimanche, à minuit, un Algérien remontait cette route vers les baraquements, en se parlant doucement à lui-même. Et ce soir, après quarante ans, Saint-Lô m'évoque la fenêtre éclairée du *Rideau cramoisi* — comme si j'avais oublié d'éteindre la lumière dans mon ancienne chambre ou dans ma jeunesse. Barbey d'Aurevilly était né dans les environs. J'avais visité sa maison.

1963. 1964. Les années se confondent. Jours de lenteur, jours de pluie… Pourtant je connaissais quelquefois un état second où j'échappais à cette grisaille, un mélange d'ivresse et de somnolence comme lorsque vous marchez dans les rues, au printemps, après une nuit blanche.

1964. Je rencontre une fille qui s'appelle Catherine dans un café du boulevard de la Gare et elle a la grâce et l'accent parisien d'Arletty. Je me souviens du printemps de cette année-là. Les feuillages des marronniers le long du métro aérien. Le boulevard de la Gare dont on n'avait pas encore détruit les maisons basses.

Ma mère jouait au théâtre de l'Ambigu un petit rôle dans une pièce de François Billetdoux : *Comment va le monde, môssieu ? Il tourne môssieu...* Ursula Kübler, la femme de Boris Vian, était aussi de la distribution. Elle conduisait une Morgan rouge. Je suis allé quelquefois chez elle et son ami Hot d'Déé, cité Véron. Elle m'a appris comment elle dansait avec Boris Vian la danse de l'ours. J'étais ému de voir toute la collection de disques de Boris Vian.

En juillet, je me réfugie à Saint-Lô. Après-midi vides. Je fréquente la bibliothèque municipale et je croise une femme blonde. Elle est en vacances dans une villa sur les hauteurs de Trouville, avec des enfants, des chiens. Elle était pensionnaire de la Maison d'éducation de la Légion d'honneur à Saint-Denis, à quatorze ans, pendant l'Occupation. L'écolière des anciens pensionnats. Ma mère m'écrit : « Si tu es bien là-bas, ce serait plus pratique que tu restes le plus longtemps possible. Moi, je vis de rien et comme ça, je pourrais envoyer le reste de l'argent que je dois aux Galeries Lafayette. »

En septembre, à Saint-Lô, une nouvelle lettre de ma mère : « Je ne crois pas que nous aurons du chauffage cet hiver, mais on s'arrangera. Je te demanderai donc, mon garçon, de m'envoyer tout l'argent qu'il te reste. » À cette époque, je gagnais un peu ma vie en faisant du « courtage » de livres. Et dans une autre lettre, une note d'espoir : « L'hiver qui vient sera sûrement moins rude que celui que nous avons vécu… »

Je reçois un appel téléphonique de mon père. Il m'a inscrit, sans me demander mon avis, en lettres supérieures au lycée Michel-Montaigne, à Bordeaux. Il a, soi-disant, la « direction de mes études ». Il me fixe rendez-vous pour le lendemain au buffet de la gare de Caen. Nous prenons le premier train pour Paris. À Saint-Lazare, la fausse Mylène Demongeot nous attend et nous conduit en voiture à la gare d'Austerlitz. Je comprends que c'est elle qui a exigé mon exil, loin de Paris. Mon père m'a demandé d'offrir en gage de réconciliation à la fausse Mylène Demongeot une bague améthyste que je portais sur moi et que m'avait donnée, en souvenir d'elle, mon amie, « l'écolière des anciens pensionnats ». Je me refuse à offrir cette bague.

À la gare d'Austerlitz, nous montons dans le train pour Bordeaux, mon père et moi. Je n'ai aucun bagage, comme si c'était un enlèvement. J'ai accepté de partir avec lui en espérant pouvoir le raisonner : c'est la première fois depuis deux ans que nous passons ensemble un temps plus long que ces rendez-vous à la sauvette dans les cafés.

Nous arrivons le soir à Bordeaux. Mon père prend une chambre pour nous deux à l'hôtel Splendide. Les jours suivants nous allons dans les magasins de la rue Sainte-Catherine faire mon trousseau de pensionnaire — dont le lycée Michel-Montaigne a communiqué la liste à mon père. J'essaye de le convaincre que tout cela est inutile mais il n'en démord pas.

Un soir, devant le Grand Théâtre de Bordeaux, je me mets à courir pour le semer. Et puis j'ai pitié de lui. De nouveau, je tente de le raisonner. Pourquoi cherche-t-il toujours à se débarrasser de moi ? Ne serait-il pas plus simple que je reste à Paris ? J'ai passé l'âge d'être enfermé dans les pensionnats… Il ne veut rien entendre. Alors, je fais semblant d'obtempérer. Comme autrefois, nous allons au cinéma… Le dimanche soir de la rentrée des classes, il m'accompagne en taxi au lycée Michel-Montaigne. Il me donne cent cinquante francs et me fait signer un reçu.

Pourquoi ? Il attend dans le taxi que je passe le porche du lycée. Je monte au dortoir avec ma valise. Des pensionnaires me traitent de « bizuth » et m'obligent à lire un texte grec. Alors, je décide de fuir. Je sors du lycée avec ma valise et je vais dîner au restaurant Dubern, sur les allées de Tourny, où mon père m'avait emmené les jours précédents. Ensuite je prends un taxi jusqu'à la gare Saint-Jean. Et un train de nuit pour Paris. Il ne me reste plus rien des cent cinquante francs. Je regrette de n'avoir pas mieux connu Bordeaux, la ville des *Chemins de la mer*. Et de ne pas avoir eu le temps de respirer les odeurs de pins et de résine. Le lendemain, à Paris, je rencontre mon père dans l'escalier de l'immeuble. Il est stupéfait de ma réapparition. Nous ne nous adresserons plus la parole pendant longtemps.

Et les jours, les mois passent. Et les saisons. Quelquefois, je voudrais revenir en arrière et revivre toutes ces années mieux que je ne les ai vécues. Mais comment ?

Je suivais maintenant la rue Championnet à cette heure de la fin de l'après-midi où l'on a le soleil dans les yeux. Je passais mes journées à Montmartre dans une sorte de rêve éveillé. Je m'y sentais mieux que partout ailleurs. Station de métro Lamarck-Caulaincourt avec l'ascenseur qui monte et le San Cristobal à mi-pente des escaliers. Le café de l'hôtel Terass. De brefs moments, j'étais heureux. Rendez-vous à sept heures du soir au Rêve. La rampe glacée de la rue Berthe. Et mon souffle, toujours court.

Le jeudi 8 avril 1965, si j'en crois un vieil agenda, ma mère et moi nous n'avons plus un sou. Elle exige que je sonne à la porte de mon père pour lui réclamer de l'argent. Je monte l'escalier, la mort dans l'âme. J'ai l'intention de ne pas sonner mais ma mère guette, menaçante, sur le palier, le regard et le menton tragiques, l'écume aux lèvres. Je sonne. Il me claque la porte au nez. Je sonne de nouveau. La fausse Mylène Demongeot hurle qu'elle va téléphoner à police secours. Je redescends au troisième étage. Les policiers viennent me chercher. Mon père les accompagne. Ils nous font monter tous les deux dans le panier à salade qui stationne devant l'immeuble, sous l'œil étonné du concierge. Nous sommes assis sur la banquette, côte à côte. Il ne m'adresse pas la parole. Pour la première fois de ma vie, je me trouve dans un panier à salade, et le hasard veut que j'y sois avec mon père. Lui, il a déjà connu cette expérience en février 1942 et au cours de l'hiver 1943, quand il avait été raflé par les inspecteurs français de la police des Questions juives.

Le panier à salade suit la rue des Saints-Pères, le boulevard Saint-Germain. Il s'arrête au feu rouge, devant les Deux Magots. Nous arrivons au commissariat de la rue de l'Abbaye. Mon père me charge devant le commissaire. Il dit que je suis un « voyou » et que je viens « faire du scandale » chez lui. Le commissaire me déclare que la « prochaine fois » il me gardera ici. Je sens bien que mon père serait soulagé de m'abandonner dans ce commissariat pour toujours. Nous retournons ensemble quai de Conti. Je lui demande pourquoi il a laissé la fausse Mylène Demongeot appeler police secours et pourquoi il m'a chargé devant le commissaire. Il reste silencieux.

Cette même année 1965 — ou l'année 1964 — mon père fait détruire l'escalier intérieur qui reliait les deux étages, et les appartements sont séparés pour de bon. Quand j'ouvre la porte, et que je me retrouve dans la petite pièce pleine de gravats, quelques-uns de nos livres d'enfants ainsi que des cartes postales adressées à mon frère, et qui étaient restés au quatrième étage, sont là parmi les gravats, déchirés en mille morceaux. Mai-juin. Montmartre, toujours. Il faisait beau. J'étais à la terrasse d'un café de la rue des Abbesses, au printemps.

Juillet. Train de nuit, debout dans le couloir. Vienne. Je passe quelques nuits dans un hôtel borgne près de la gare de l'Ouest. Puis je trouve refuge dans une chambre, derrière l'église Saint-Charles. Je rencontre des gens de toutes sortes au café Hawelka. Un soir, avec eux, j'y fête mes vingt ans.

Nous prenons des bains de soleil dans les jardins de Potzleinsdorf, et aussi dans un petit cabanon au milieu d'un jardin ouvrier du côté d'Heiligenstadt. Au café Rabe, une salle lugubre près du Graben, il n'y avait personne et l'on entendait des chansons de Piaf. Et toujours cette légère ivresse mêlée de somnolence, dans les rues de l'été, comme après une nuit blanche.

Quelquefois nous allions jusqu'aux frontières tchèque et hongroise. Un grand champ. Des miradors. Si l'on marchait dans le champ, ils vous tiraient dessus.

Je quitte Vienne début septembre. *Sag'beim abschied leise « Servus »*, comme dit la chanson. Une phrase de notre Joseph Roth m'évoque Vienne que je n'ai pas revue depuis quarante ans. La reverrai-je jamais ? « Ces soirs fugaces, peureux, il fallait se hâter de s'en emparer avant leur disparition et j'aimais par-dessus tout à les surprendre dans les jardins publics, au Volksgarten, au Prater, à saisir leur dernière lueur, la plus douce, dans un café où elle s'insinuait encore, ténue et légère, comme un parfum… »

Train de nuit en seconde classe, à la gare de l'Ouest, Vienne-Genève. J'arrive à Genève en fin d'après-midi. Je prends le car pour Annecy. À Annecy, il fait nuit. Il pleut à torrents. Je n'ai plus un sou. Je descends à l'hôtel d'Angleterre, rue Royale, sans savoir comment je vais payer ma chambre. Je ne reconnais plus Annecy, qui, ce soir-là, est une ville fantôme, sous la pluie. Ils ont détruit le vieil hôtel et les bâtiments vétustes, place de la Gare. Le lendemain, je rencontre quelques amis. Beaucoup d'entre eux sont déjà partis au service militaire. Le soir, il me semble les voir passer sous la pluie en uniforme. Il me reste quand même cinquante francs. Mais l'hôtel d'Angleterre coûte cher. Au cours de ces quelques jours, j'avais rendu visite au collège Saint-Joseph de Thônes à mon ancien professeur de lettres, l'abbé Accambray. Je lui avais écrit de Vienne, en lui demandant s'il était possible de me confier un poste de surveillant ou de professeur auxiliaire pour l'année qui allait venir. Je crois que je cherchais à fuir Paris et mes pauvres parents qui ne m'avaient apporté aucun soutien moral et me laissaient le dos au mur. J'ai retrouvé deux lettres de l'abbé Accambray. « J'aimerais bien que cette rentrée se fasse avec toi comme professeur dans la maison. J'en ai parlé au Supérieur. Le corps professoral est au complet mais il est possible qu'il y ait du changement avant la fin du mois d'août, ce que je souhaite pour que tu puisses être des nôtres. » Dans la seconde, datée du 7 septembre 1965, il m'écrit : « L'établissement de l'horaire auquel j'ai travaillé ces jours montre nettement, hélas, que le personnel est plus que suffisant pour l'année scolaire 1965-1966. Il est impossible de te donner du travail, même pour un demi-horaire… »

Mais la vie continuait sans que l'on sût très

bien pourquoi l'on se trouvait à tel moment avec certaines personnes plutôt qu'avec d'autres, à tel endroit plutôt qu'ailleurs, et si le film était une version originale ou une version doublée. Il ne m'en reste aujourd'hui à la mémoire que de brèves séquences. Je m'inscris à la faculté des lettres, pour prolonger mon sursis militaire. Je n'assisterai jamais aux cours et je serai un étudiant fantôme. Jean Normand (alias Jean Duval) occupe depuis quelques mois, quai de Conti, la petite chambre où il y avait précédemment l'escalier intérieur reliant le troisième au quatrième étage. Il travaille dans une agence immobilière mais il est interdit de séjour à Paris. Cela, je le saurai plus tard. Ma mère l'a connu vers 1955. Normand avait vingt-sept ans et sortait de prison pour des cambriolages. Le hasard avait voulu qu'il se fût livré très jeune à quelques-uns de ces cambriolages avec Suzanne Bouquerau, celle chez qui nous habitions, mon frère et moi, à Jouy-en-Josas. Il était, depuis, retourné en prison, puisqu'en 1959 il se trouvait encore à la centrale de Poissy. Il a fait faire des travaux de première nécessité dans l'appartement délabré et je suis sûr qu'il donne de l'argent à ma mère. Je l'aime beaucoup, ce Normand (alias Duval). Un soir, il laisse discrètement sur la cheminée de ma chambre un billet de cent francs, que je découvre après son départ. Il circule en Jaguar et j'apprendrai l'année suivante dans les journaux, au moment de l'affaire Ben Barka, qu'on le surnomme « le grand à la Jaguar ».

Un incident, vers 1965-1966 : il est dix heures du soir et je suis seul dans l'appartement. J'entends des bruits de pas très forts au-dessus, chez mon père, et un fracas de meubles que l'on renverse et de vitres que l'on brise. Puis le silence. J'ouvre la porte qui donne sur l'escalier. Venant du quatrième étage, deux types râblés à têtes de nervis ou de flics en civil dévalent l'escalier. Je leur demande ce qui se passe. L'un d'eux me fait un geste impératif de la main et me dit sèchement : « Rentrez chez vous, s'il vous plaît. » J'entends des pas chez mon père. Il était donc là… J'hésite à lui téléphoner, mais nous ne nous sommes pas revus depuis notre séjour à Bordeaux et je suis sûr qu'il raccrochera. Deux ans plus tard, je lui demanderai de me dire ce qui s'était passé ce soir-là. Il fera semblant de ne pas comprendre de quoi je parle. Je crois que c'était un homme qui aurait découragé dix juges d'instruction.

Cet automne 1965, je fréquentais, les soirs où j'avais quelques billets de cinq francs à l'effigie de Victor Hugo, un restaurant près du théâtre de Lutèce. Et je me réfugiais dans une chambre, avenue Félix-Faure, XVe arrondissement, où un ami entreposait une collection de *Paris-Turf* des dix dernières années qui lui servaient à de mystérieux calculs statistiques pour jouer à Auteuil et à Longchamp. Chimères. Je me souviens que je trouvais quand même un horizon dans ce quartier de Grenelle, grâce aux petites rues tracées au cordeau avec leurs échappées vers la Seine. Parfois, je prenais des taxis très tard dans la nuit. La course coûtait cinq francs. À la lisière du XVe arrondissement, il y avait souvent des contrôles de police. J'avais falsifié ma date de naissance sur mon passeport pour avoir l'âge de la majorité, transformant 1945 en 1943.

Raymond Queneau avait la gentillesse de me recevoir le samedi. Souvent, au début de l'après-midi, de Neuilly nous revenions tous deux sur la rive gauche. Il me parlait d'une promenade qu'il avait faite avec Boris Vian jusqu'à une impasse que presque personne ne connaît, tout au fond du XIIIe arrondissement, entre le quai de la Gare et la voie ferrée d'Austerlitz : rue de la Croix-Jarry. Il me conseillait d'y aller. J'ai lu que les moments où Queneau avait été le plus heureux, c'était quand il se promenait l'après-midi parce qu'il devait écrire des articles sur Paris pour *L'Intransigeant*. Je me demande si ces années mortes que j'évoque ici en valaient la peine. Comme Queneau, je n'étais vraiment moi-même que lorsque je me retrouvais seul dans les rues, à la recherche des chiens d'Asnières. J'avais deux chiens en ce temps-là. Ils s'appelaient Jacques et Paul. À Jouy-en-Josas, en 1952, nous avions une chienne, mon frère et moi, qui s'appelait Peggy et qui s'est fait écraser, un après-midi, rue du Docteur-Kurzenne. Queneau aimait beaucoup les chiens.

Il m'avait parlé d'un western au cours duquel on assistait à une lutte sans merci entre des Indiens et des Basques. La présence des Basques l'avait beaucoup intrigué et l'avait fait rire. J'ai fini par découvrir quel était ce film : *Caravane vers le soleil.* Le résumé indique bien : Les Indiens contre les

Basques. J'aimerais voir ce film en souvenir de Queneau dans un cinéma que l'on aurait oublié de détruire, au fond d'un quartier perdu. Le rire de Queneau. Moitié geyser, moitié crécelle. Mais je ne suis pas doué pour les métaphores. C'était tout simplement le rire de Queneau.

1966. Une nuit de janvier, quai de Conti. Jean Normand rentre vers onze heures. Je suis seul avec lui dans l'appartement. La radio est allumée. On annonce le suicide de Figon dans un studio de la rue des Renaudes au moment où les policiers forçaient la porte de sa chambre. C'était l'un des protagonistes de l'affaire Ben Barka. Normand devient livide et donne un coup de téléphone pour engueuler quelqu'un. Il raccroche très vite. Il m'explique que Figon et lui ont dîné ensemble une heure auparavant et que Figon était un vieil ami, depuis le collège Sainte-Barbe. Il ne me dit pas qu'il a été détenu avec lui dans les années cinquante à la centrale de Poissy, comme je l'ai su plus tard.

Et de menus événements se succèdent et glissent sur vous sans y laisser beaucoup de traces. Vous avez l'impression de ne pas pouvoir vivre encore votre vraie vie, et d'être un passager clandestin. De cette vie en fraude, quelques bribes me reviennent. À Pâques, j'étais tombé sur un article d'un magazine concernant Jean Normand et l'affaire Ben Barka. L'article était intitulé : « Qu'attend-on pour interroger cet homme ? » Une grande photo de Normand, avec cette légende : « Il a le visage taillé à la hache et fignolé au marteau piqueur. Il s'appelle Normand et se fait appeler Duval. Figon l'appelait "le grand à la Jag". Un Georges Figon que Normand, dit Duval, connaissait depuis longtemps… »

Ce printemps-là, je me réfugiais parfois chez Marjane L., rue du Regard. Son appartement était le lieu de rendez-vous d'une bande d'individus qui naviguaient sans boussole entre Saint-Germain-des-Prés, Montparnasse et la Belgique. Certains, déjà touchés par le psychédélisme, y faisaient escale entre deux voyages à Ibiza. Mais l'on croisait aussi rue du Regard un certain Pierre Duvelz (ou Duveltz) : blond, trente-cinq ans, moustaches et costumes prince-de-galles. Il parlait français avec un accent distingué et international, exhibait au revers de sa veste des décorations militaires, prétendait qu'il avait été élève officier à l'école de Saint-Maixent et marié à une « fille Guiness » ; il donnait des coups de téléphone à des ambassades ; il était souvent accompagné d'un type à tête de demeuré à sa dévotion et il se vantait d'une liaison avec une Iranienne.

D'autres ombres parmi lesquelles un nommé Gérard Marciano. Et combien d'autres encore que j'ai oubliés et qui ont dû mourir, depuis, de mort violente.

Ce printemps 1966, à Paris, j'ai remarqué un changement dans l'atmosphère, une variation de climat que j'avais déjà sentie, à treize ans en 1958 puis à la fin de la guerre d'Algérie. Mais cette fois-ci, en France, aucun événement important, aucun point de rupture — ou alors, je l'ai oublié. Je serais d'ailleurs incapable, à ma grande honte, de dire ce qui se passait dans le monde en avril 1966. Nous sortions d'un tunnel, mais de quel tunnel, je l'ignore. Et cette bouffée de fraîcheur, nous ne l'avions pas connue, les saisons précédentes. Était-ce l'illusion de ceux qui ont vingt ans et qui croient chaque fois que le monde commence avec eux ? L'air m'a paru plus léger ce printemps-là.

À la suite de l'affaire Ben Barka, Jean Normand n'habite plus quai de Conti et a disparu mystérieusement. Vers mai-juin, je suis convoqué à la brigade mondaine et prié de me présenter devant un certain inspecteur Langlais. Il m'interroge trois heures de suite à l'un des bureaux, au milieu du va-et-vient des autres flics et tape mes réponses à la machine. À mon grand étonnement, il dit que quelqu'un m'a dénoncé comme toxicomane et revendeur de drogue et me montre une photo anthropométrique de Gérard Marciano que j'ai croisé une ou deux fois rue du Regard. Mon nom, paraît-il, figure sur son agenda. Je dis que je ne l'ai jamais rencontré. L'inspecteur me demande de lui montrer mes bras, pour vérifier s'ils ne portent pas des traces de piqûres. Il me menace d'une perquisition quai de Conti et avenue Félix-Faure, dans la chambre où je me réfugiais, mais apparemment il ignore l'existence de la rue du Regard, ce qui m'étonne, puisque le dénommé Marciano Gérard fréquentait cet appartement. Il me relâche en précisant que je subirai peut-être un autre interrogatoire. Malheureusement, on ne vous pose jamais les bonnes questions.

Je mets en garde Marjane L. contre la brigade mondaine et contre Gérard Marciano, qui n'a pas reparu. Pierre Duvelz, lui, se fait arrêter les jours suivants dans une armurerie, au moment où il achetait ou revendait un revolver. Duvelz était un escroc, sous le coup d'un mandat d'arrêt. Et moi, je commets une mauvaise action : je vole la garde-robe de Duvelz qui est restée chez Marjane L. et se compose de plusieurs costumes très élégants, et j'emporte une boîte à musique ancienne, propriété de ceux à qui Marjane L. a loué l'appartement. Je me mets d'accord avec un brocanteur de la rue des Jardins-Saint-Paul, et lui cède le tout pour cinq cents francs. Il m'explique qu'il appartient à une famille de ferrailleurs de Clichy et qu'il a bien connu Joinovici. Si j'ai d'autres objets à lui fourguer, il suffit de lui téléphoner. Il me donne cent francs supplémentaires, visiblement ému par ma timidité. L'année suivante, je réparerai cette mauvaise action. Je verserai mes premiers droits d'auteur pour rembourser le vol de la boîte à musique. J'aurais volontiers acheté quelques costumes à Duvelz, mais je n'ai plus jamais eu de nouvelles de lui.

Soyons francs jusqu'au bout : ma mère et moi, en 1963, nous avions vendu à un Polonais que nous connaissions et qui travaillait au marché aux puces, les quatre costumes presque neufs, les chemises et les trois paires de chaussures avec embauchoirs de bois clair qu'avait laissés dans un placard Robert Fly, l'ami de mon père. Lui aussi, comme Duvelz, il portait des prince-de-galles et il avait disparu d'un jour à l'autre. Nous n'avions pas un sou, cet après-midi-là. Tout juste la menue monnaie que m'avait remise l'épicier de la rue Dauphine contre des bouteilles en consigne. C'était l'époque où la baguette coûtait quarante-quatre centimes. Par la suite, j'ai volé des livres chez des particuliers ou dans des bibliothèques. Je les ai vendus car je manquais d'argent. Un exemplaire du premier tirage de *Du côté de chez Swann* édité chez Grasset, une édition originale d'Artaud dédicacée à Malraux, des romans dédicacés par Montherlant, des lettres de Céline, un *Tableau de la maison militaire du roi* publié en 1819, une édition clandestine de *Femmes* et *Hombres* de Verlaine, des dizaines de Pléiade et d'ouvrages d'art… À partir du moment où j'ai commencé à écrire, je n'ai plus commis le moindre larcin. Il arrivait aussi à ma mère, en dépit de sa morgue habituelle, de faucher quelques articles de « luxe » et de maroquinerie aux rayons de la Belle Jardinière ou dans d'autres magasins. On ne l'a jamais prise sur le fait.

Mais le temps presse, l'été 1966 approche et avec lui ce que l'on appelait l'âge de la majorité. Je me suis réfugié dans le quartier du boulevard Kellermann, et je fréquente la Cité universitaire voisine, ses grandes pelouses, ses restaurants, sa cafétéria, son cinéma et ses habitants. Amis marocains, algériens, yougoslaves, cubains, égyptiens, turcs…

En juin, mon père et moi, nous nous réconcilions. Je le retrouve souvent dans le hall de l'hôtel Lutétia. Je m'aperçois qu'il n'a pas de bonnes intentions à mon égard. Il essaye de me persuader de devancer l'appel. Il se chargera lui-même, me dit-il, de préparer mon incorporation à la caserne de Reuilly. Je fais semblant d'obtempérer pour obtenir de lui un peu d'argent, juste de quoi passer mes dernières vacances de « civil ». On ne refuse rien à un futur militaire. Il est persuadé que je serai bientôt sous les drapeaux. J'aurai vingt et un ans et il sera définitivement débarrassé de moi. Il me donne trois cents francs, le seul argent « de poche » qu'il m'ait jamais donné de ma vie. Je suis si heureux de cette « prime » que je lui aurais volontiers promis de m'engager dans la Légion. Et je pense à la mystérieuse fatalité qui l'incite toujours à m'éloigner : les collèges, Bordeaux, le commissariat de police, l'armée…

Partir le plus vite possible avant les casernes d'automne. Le 1er juillet tôt le matin gare de Lyon. Train de seconde classe, bondé. C'est le premier jour des vacances. La plupart du temps, je suis debout dans le couloir. Près de dix heures pour arriver dans le Midi. Le car longe le bord de mer. Les Issambres. Sainte-Maxime. Impression fugace de liberté et d'aventure. Parmi les points de repère de ma vie, les étés compteront toujours, bien qu'ils finissent par se confondre, à cause de leur midi éternel.

Je loue une chambre, sur la petite place de La Garde-Freinet. C'est là, à la terrasse du café-restaurant, à l'ombre, que j'ai commencé mon premier roman, un après-midi. En face, la poste n'était ouverte que deux heures par jour dans ce village de soleil et de sommeil. Un soir de cet été-là, j'ai eu vingt et un ans et le lendemain, je devais reprendre le train.

À Paris, je me cache. Août. Le soir, je vais au cinéma Fontainebleau, avenue d'Italie, au restaurant de la Cascade, avenue Reille... J'ai donné à mon père un numéro, Gobelins 71-91. Il me téléphone à 9 heures du matin, et je fais sonner le réveil car je dors jusqu'à 2 heures de l'après-midi. Je continue d'écrire mon roman. Je vois mon père une dernière fois dans le café-glacier, au coin de la rue de Babylone et du boulevard Raspail. Puis il y a cet échange de lettres entre nous. « ALBERT RODOLPHE MODIANO, 15 QUAI DE CONTI, Paris VIe, le 3 août 1966. Cher Patrick, dans le cas où tu déciderais d'agir selon ton bon plaisir et de passer outre mes décisions, la situation serait la suivante : tu as 21 ans, tu es donc majeur, je ne suis plus responsable de toi. En conséquence, tu n'auras pas à espérer de ma part une aide quelconque, un soutien de quelque nature que ce soit, tant sur le plan matériel que sur le plan moral. Les décisions que j'ai prises te concernant sont simples, tu les acceptes ou non, sans discussion possible : tu résilies ton sursis avant le 10 août afin d'être incorporé en novembre

121

prochain. Mercredi matin, nous avions convenu de nous rendre à la Caserne de Reuilly
afin de résilier ton sursis. Nous avions rendez-
vous à midi 1/2, je t'ai attendu jusqu'à 13 h 15,
et, suivant ta méthode habituelle de garçon
hypocrite et mal élevé, tu n'es pas venu au
rendez-vous sans même prendre la peine de
téléphoner pour t'excuser. Je peux te dire que
c'est la dernière fois que tu auras l'occasion
de manifester à mon égard une telle lâcheté.
Tu as donc le choix de vivre à ta guise en
renonçant entièrement et définitivement à
mon appui, ou de te conformer à mes décisions. À toi de décider. Je puis t'affirmer, avec
une certitude absolue, quel que soit ton choix,
que la vie t'apprendra une fois de plus combien ton père avait raison. Albert MODIANO.
P.-S. — J'ajoute que j'ai réuni spécialement les
membres de ma famille que j'ai informés et
qui m'approuvent entièrement. » Mais quelle
famille ? Celle louée pour un soir dans le
Rendez-vous de Senlis ?

    « Paris le 4 août 1966. Cher Monsieur, vous
savez qu'au siècle dernier, les "sergents
recruteurs" saoulaient leurs victimes et leur
faisaient signer leur engagement. La précipitation avec laquelle vous vouliez me traî-

ner à la caserne de Reuilly me rappelait ce procédé. Le service militaire vous offre une excellente occasion de vous débarrasser de moi. Le "soutien moral" que vous m'aviez promis la semaine dernière, les caporaux s'en chargeront. Quant au "soutien matériel", il sera superflu puisque je trouverai gîte et nourriture à la caserne. Bref, j'ai décidé d'agir selon mon bon plaisir et de passer outre à vos décisions. Ma situation sera donc la suivante : j'ai 21 ans, je suis majeur, vous n'êtes plus responsable de moi. En conséquence, je n'ai pas à espérer de votre part une aide quelconque, un soutien de quelque nature que ce soit, tant sur le plan matériel que sur le plan moral. »

C'est une lettre que je regrette de lui avoir écrite, aujourd'hui. Mais que pouvais-je faire d'autre ? Je ne lui en voulais pas et, d'ailleurs, je ne lui en ai jamais voulu. Tout simplement je craignais de me retrouver prisonnier d'une caserne dans l'Est. S'il m'avait connu dix ans plus tard — comme disait Mireille Ourousov — il n'y aurait plus eu le moindre problème entre nous. Il aurait été ravi que je lui parle de littérature, et moi je lui aurais posé des questions sur ses projets de haute finance et sur son passé mystérieux. Ainsi, dans une autre vie, nous marchons bras dessus, bras dessous, sans plus jamais cacher à personne nos rendez-vous.

« ALBERT RODOLPHE MODIANO, 15 QUAI DE CONTI, Paris VIᵉ, le 9 août 1966. J'ai reçu ta lettre du 4 août adressée non à ton père mais à "cher Monsieur" dans lequel il faut bien que je me reconnaisse. Ta mauvaise foi et ton hypocrisie n'ont pas de limites. Nous assistons à la réédition de l'affaire de Bordeaux. Ma décision concernant ton incorporation militaire en novembre prochain n'a pas été prise à la légère. Je jugeais indispensable que tu changes non seulement d'atmosphère, mais que ta vie se fasse dans des conditions de discipline et non de fantaisie. Ton persiflage est abject. Je prends acte de ta décision. ALBERT MODIANO. » Je ne l'ai plus jamais revu.

L'automne à Paris. Je continue d'écrire mon roman, le soir, dans une chambre des grands blocs d'immeubles du boulevard Kellermann et dans les deux cafés, au bout de la rue de l'Amiral-Mouchez.

Une nuit, je me demande bien pourquoi, je me retrouve, avec d'autres personnes, de l'autre côté de la Seine, chez Georges et Kiki

Daragane pour laquelle, à quatorze ans et demi, je m'étais enfui du collège... Elle habitait Bruxelles à l'époque et ma mère l'accueillait quai de Conti. Depuis ce temps, quelques auteurs de science-fiction de Saint-Germain-des-Prés, et quelques artistes du groupe « Panique » l'entourent. Ils doivent lui faire la cour, et elle, leur accorder ses faveurs sous l'œil placide de son mari, Georges Daragane, un industriel bruxellois, véritable pilier du Flore, où il reste vissé sur une banquette de 9 heures à minuit, sans doute pour rattraper toutes les années perdues en Belgique... Avec Kiki, nous parlons du passé et de cette époque déjà lointaine de mon adolescence où, me raconte-t-elle, mon père l'emmenait le soir chez « Charlot roi des coquillages »... Elle a gardé un souvenir attendri de mon père. C'était un homme charmant, avant de rencontrer la fausse Mylène Demongeot. Nathalie, l'hôtesse de l'air qu'il avait connue en 1950 sur un vol Paris-Brazzaville, me racontera plus tard que les jours de dèche, mon père ne l'emmenait pas dîner chez Charlot roi des coquillages mais chez Roger la Frite... Je propose timidement à Georges Daragane et Kiki de leur faire lire mon manuscrit, comme si je me trouvais chez eux dans le salon de Mme et de M. de Caillavet.

Peut-être tous ces gens, croisés au cours des années soixante, et que je n'ai plus jamais eu l'occasion de revoir, continuent-ils à vivre dans une sorte de monde parallèle, à l'abri du temps, avec leurs visages d'autrefois. J'y pensais tout à l'heure, le long de la rue déserte, sous le soleil. Tu es à Paris, chez le juge d'instruction, comme le disait Apollinaire dans son poème. Et le juge me présente des photos, des documents, des pièces à conviction. Et pourtant, ce n'était pas tout à fait cela, ma vie.

Le printemps de 1967. Les pelouses de la Cité universitaire. Le parc Montsouris. À midi, les ouvriers de la Snecma fréquentaient le café, au bas de l'immeuble. La place des Peupliers, l'après-midi de juin où j'ai appris qu'ils acceptaient mon premier livre. Le bâtiment de la Snecma, la nuit, comme un paquebot échoué sur le boulevard Kellermann.

Un soir de juin, au théâtre de l'Atelier, place Dancourt. Une curieuse pièce d'Audiberti : *Cœur à cuir*. Roger travaillait comme régisseur à l'Atelier. Le soir du mariage de Roger et Chantal, j'avais dîné avec eux dans le petit appartement de quelqu'un dont je n'ai jamais retrouvé le nom, sur cette même place Dancourt où la lumière des réverbères tremble. Puis ils étaient partis en voiture vers une banlieue lointaine.

Ce soir-là, je m'étais senti léger pour la première fois de ma vie. La menace qui pesait sur moi pendant toutes ces années, me contraignant à être sans cesse sur le qui-vive, s'était dissipée dans l'air de Paris. J'avais pris le large avant que le ponton vermoulu ne s'écroule. Il était temps.

PATRICK MODIANO
PRIX NOBEL DE LITÉRATURE 2014

Aux Éditions Gallimard

LA PLACE DE L'ÉTOILE, *roman*. Édition revue et corrigée en 1995 (« Folio », *n° 698*).

LA RONDE DE NUIT, *roman* (« Folio », *n° 835*).

LES BOULEVARDS DE CEINTURE, *roman* (« Folio », *n° 1033*).

VILLA TRISTE, *roman* (« Folio », *n° 953*).

EMMANUEL BERL, INTERROGATOIRE *suivi de* IL FAIT BEAU ALLONS AU CIMETIÈRE. *Interview, préface et postface de Patrick Modiano* (« Témoins »).

LIVRET DE FAMILLE (« Folio », *n° 1293*).

RUE DES BOUTIQUES OBSCURES, *roman* (« Folio », *n° 1358*).

UNE JEUNESSE, *roman* (« Folio », *n° 1629*; « Folio Plus », *n° 5*, avec notes et dossier par Marie-Anne Macé).

DE SI BRAVES GARÇONS (« Folio », *n° 1811*).

QUARTIER PERDU, *roman* (« Folio », *n° 1942*).

DIMANCHES D'AOÛT, *roman* (« Folio », *n° 2042*).

UNE AVENTURE DE CHOURA, *illustrations de Dominique Zehrfuss* (« Albums Jeunesse »).

UNE FIANCÉE POUR CHOURA, *illustrations de Dominique Zehrfuss* (« Albums Jeunesse »).

VESTIAIRE DE L'ENFANCE, *roman* (« Folio », *n° 2253*).

VOYAGE DE NOCES, *roman* (« Folio », *n° 2330*).

UN CIRQUE PASSE, *roman* (« Folio », *n° 2628*).

DU PLUS LOIN DE L'OUBLI, *roman* (« Folio », *n° 3005*).

DORA BRUDER (« Folio », *n° 3181*; « La Bibliothèque Gallimard », *n° 144*).

DES INCONNUES (« Folio », *n° 3408*).

LA PETITE BIJOU, *roman* (« Folio », *n° 3766*).

ACCIDENT NOCTURNE, roman (« Folio », n° 4184).

UN PEDIGREE (« Folio », n° 4377).

TROIS NOUVELLES CONTEMPORAINES, avec Marie NDiaye et Alain Spiess, lecture accompagnée par Françoise Spiess (La Bibliothèque Gallimard, n° 174).

DANS LE CAFÉ DE LA JEUNESSE PERDUE, roman (« Folio », n° 4834).

L'HORIZON, roman (« Folio », n° 5327).

L'HERBE DES NUITS, roman (« Folio », n° 5775).

28 PARADIS, 28 ENFERS, avec Marie Modiano et Dominique Zehrfuss (« Le Cabinet des Lettrés »).

ROMANS (« Quarto »).

POUR QUE TU NE TE PERDES PAS DANS LE QUARTIER, roman (« Folio », n° 6077).

DISCOURS À L'ACADÉMIE SUÉDOISE.

En collaboration avec Louis Malle

LACOMBE LUCIEN, scénario (« Folioplus classiques », n° 147, dossier par Olivier Rocheteau et lecture d'image par Olivier Tomasini).

En collaboration avec Sempé

CATHERINE CERTITUDE. Illustrations de Sempé (« Folio », n° 4298; « Folio Junior », n° 600).

Dans la collection « Écoutez lire »

DORA BRUDER (2 CD)

UN PEDIGREE (2 CD)

L'HERBE DES NUITS (1CD)

LA PETITE BIJOU (1 CD)

POUR QUE TU NE TE PERDES PAS DANS LE QUARTIER (1 CD)

DANS LE CAFÉ DE LA JEUNESSE PERDUE (1 CD)

En hors-série DVD

JE ME SOUVIENS DE TOUT... Un film écrit par Bernard Pivot et réalisé par Antoine de Meaux.

Aux Éditions P.O.L

MEMORY LANE, en collaboration avec Pierre Le-Tan.
POUPÉE BLONDE, en collaboration avec Pierre Le-Tan.

Aux Éditions du Seuil

REMISE DE PEINE.
FLEURS DE RUINE.
CHIEN DE PRINTEMPS.

Aux Éditions Hoëbeke

PARIS TENDRESSE, *photographies de Brassaï.*

Aux Éditions Albin Michel

ELLE S'APPELAIT FRANÇOISE..., en collaboration avec Catherine Deneuve.

Aux Éditions du Mercure de France

ÉPHÉMÉRIDE (« Le Petit Mercure »).

Aux Éditions de L'Acacia

DIEU PREND-IL SOIN DES BŒUFS ? en collaboration avec Gérard Garouste.

Aux Éditions de L'Olivier

28 PARADIS, en collaboration avec Dominique Zehrfuss.

COLLECTION FOLIO

Dernières parutions

6246. Jules Barbey
    d'Aurevilly   *La Vengeance d'une femme
                         précédé du Dessous de
                         cartes d'une partie de whist*
6247. Victor Hugo   *Le Dernier Jour d'un Condamné*
6248. Victor Hugo   *Claude Gueux*
6249. Victor Hugo   *Bug-Jargal*
6250. Victor Hugo   *Mangeront-ils ?*
6251. Victor Hugo   *Les Misérables. Une anthologie*
6252. Victor Hugo   *Notre-Dame de Paris.
                         Une anthologie*
6253. Éric Metzger   *La nuit des trente*
6254. Nathalie Azoulai   *Titus n'aimait pas Bérénice*
6255. Pierre Bergounioux   *Catherine*
6256. Pierre Bergounioux   *La bête faramineuse*
6257. Italo Calvino   *Marcovaldo*
6258. Arnaud Cathrine   *Pas exactement l'amour*
6259. Thomas Clerc   *Intérieur*
6260. Didier Daeninckx   *Caché dans la maison des fous*
6261. Stefan Hertmans   *Guerre et Térébenthine*
6262. Alain Jaubert   *Palettes*
6263. Jean-Paul Kauffmann   *Outre-Terre*
6264. Jérôme Leroy   *Jugan*
6265. Michèle Lesbre   *Chemins*
6266. Raduan Nassar   *Un verre de colère*
6267. Jón Kalman
    Stefánsson   *D'ailleurs, les poissons n'ont
                         pas de pieds*
6268. Voltaire   *Lettres choisies*
6269. Saint Augustin   *La Création du monde et le
                         Temps*

6270. Machiavel *Ceux qui désirent acquérir la grâce d'un prince...*

6271. Ovide *Les remèdes à l'amour* suivi de *Les Produits de beauté pour le visage de la femme*

6272. Bossuet *Sur la brièveté de la vie et autres sermons*

6273. Jessie Burton *Miniaturiste*

6274. Albert Camus – René Char *Correspondance 1946-1959*

6275. Erri De Luca *Histoire d'Irène*

6276. Marc Dugain *Ultime partie. Trilogie de L'emprise, III*

6277. Joël Egloff *J'enquête*

6278. Nicolas Fargues *Au pays du p'tit*

6279. László Krasznahorkai *Tango de Satan*

6280. Tidiane N'Diaye *Le génocide voilé*

6281. Boualem Sansal *2084. La fin du monde*

6282. Philippe Sollers *L'École du Mystère*

6283. Isabelle Sorente *La faille*

6285. Jules Michelet *Jeanne d'Arc*

6286. Collectif *Les écrivains engagent le débat. De Mirabeau à Malraux, 12 discours d'hommes de lettres à l'Assemblée nationale*

6287. Alexandre Dumas *Le Capitaine Paul*

6288. Khalil Gibran *Le Prophète*

6289. François Beaune *La lune dans le puits*

6290. Yves Bichet *L'été contraire*

6291. Milena Busquets *Ça aussi, ça passera*

6292. Pascale Dewambrechies *L'effacement*

6293. Philippe Djian *Dispersez-vous, ralliez-vous !*

6294. Louisiane C. Dor *Les méduses ont-elles sommeil ?*

6295. Pascale Gautier *La clef sous la porte*

6296. Laïa Jufresa *Umami*

6297. Héléna Marienské *Les ennemis de la vie ordinaire*

6298. Carole Martinez *La Terre qui penche*

6299. Ian McEwan *L'intérêt de l'enfant*

6300. Edith Wharton   *La France en automobile*
6301. Élodie Bernard   *Le vol du paon mène à Lhassa*
6302. Jules Michelet   *Journal*
6303. Sénèque   *De la providence*
6304. Jean-Jacques Rousseau *Le chemin de la perfection vous est ouvert...*
6305. Henry David Thoreau   *De la simplicité !*
6306. Érasme   *Complainte de la paix*
6307. Vincent Delecroix/
      Philippe Forest   *Le deuil. Entre le chagrin et le néant*
6308. Olivier Bourdeaut   *En attendant Bojangles*
6309. Astrid Éliard   *Danser*
6310. Romain Gary   *Le Vin des morts*
6311. Ernest Hemingway   *Les aventures de Nick Adams*
6312. Ernest Hemingway   *Un chat sous la pluie*
6313. Vénus Khoury-Ghata   *La femme qui ne savait pas garder les hommes*
6314. Camille Laurens   *Celle que vous croyez*
6315. Agnès Mathieu-Daudé   *Un marin chilien*
6316. Alice McDermott   *Somenone*
6317. Marisha Pessl   *Intérieur nuit*
6318. Mario Vargas Llosa   *Le héros discret*
6319. Emmanuel Bove   *Bécon-les-Bruyères* suivi du *Retour de l'enfant*
6320. Dashiell Hammett   *Tulip*
6321. Stendhal   *L'abbesse de Castro*
6322. Marie-Catherine
      Hecquet   *Histoire d'une jeune fille sauvage trouvée dans les bois à l'âge de dix ans*
6323. Gustave Flaubert   *Le Dictionnaire des idées reçues*
6324. F. Scott Fitzgerald   *Le réconciliateur* suivi de *Gretchen au bois dormant*
6325. Madame de Staël   *Delphine*
6326. John Green   *Qui es-tu Alaska ?*
6327. Pierre Assouline   *Golem*

6328. Alessandro Baricco · *La Jeune Épouse*
6329. Amélie de Bourbon Parme · *Le secret de l'empereur*
6330. Dave Eggers · *Le Cercle*
6331. Tristan Garcia · *7. romans*
6332. Mambou Aimée Gnali · *L'or des femmes*
6333. Marie Nimier · *La plage*
6334. Pajtim Statovci · *Mon chat Yugoslavia*
6335. Antonio Tabucchi · *Nocturne indien*
6336. Antonio Tabucchi · *Pour Isabel*
6337. Iouri Tynianov · *La mort du Vazir-Moukhtar*
6338. Raphaël Confiant · *Madame St-Clair. Reine de Harlem*
6339. Fabrice Loi · *Pirates*
6340. Anthony Trollope · *Les Tours de Barchester*
6341. Christian Bobin · *L'homme-joie*
6342. Emmanuel Carrère · *Il est avantageux d'avoir où aller*
6343. Laurence Cossé · *La Grande Arche*
6344. Jean-Paul Didierlaurent · *Le reste de leur vie*
6345. Timothée de Fombelle · *Vango, II. Un prince sans royaume*
6346. Karl Ove Knausgaard · *Jeune homme, Mon combat III*
6347. Martin Winckler · *Abraham et fils*
6348. Paule Constant · *Des chauves-souris, des singes et des hommes*
6349. Marie Darrieussecq · *Être ici est une splendeur*
6350. Pierre Deram · *Djibouti*
6351. Elena Ferrante · *Poupée volée*
6352. Jean Hatzfeld · *Un papa de sang*
6353. Anna Hope · *Le chagrin des vivants*
6354. Eka Kurniawan · *L'homme-tigre*
6355. Marcus Malte · *Cannisses* suivi de *Far west*
6356. Yasmina Reza · *Théâtre : Trois versions de la vie / Une pièce espagnole / Le dieu du carnage / Comment vous racontez la partie*

6357. Pramoedya Ananta Toer   *La Fille du Rivage. Gadis Pantai*
6358. Sébastien Raizer   *Petit éloge du zen*
6359. Pef   *Petit éloge de lecteurs*
6360. Marcel Aymé   *Traversée de Paris*
6361. Virginia Woolf   *En compagnie de Mrs Dalloway*
6362. Fédor Dostoïevski   *Un petit héros. Extrait de mémoires anonymes*
6363. Léon Tolstoï   *Les Insurgés. Cinq récits sur le tsar et la révolution*
6364. Cioran   *Pensées étranglées précédé du Mauvais démiurge*
6365. Saint Augustin   *L'aventure de l'esprit et autres confessions*
6366. Simone Weil   *Pensées sans ordre concernant l'amour de Dieu et autres textes*
6367. Cicéron   *Comme il doit en être entre honnêtes hommes...*
6368. Victor Hugo   *Les Misérables*
6369. Patrick Autréaux   *Dans la vallée des larmes* suivi de *Soigner*
6370. Marcel Aymé   *Les contes du chat perché*
6371. Olivier Cadiot   *Histoire de la littérature récente (tome 1)*
6372. Albert Camus   *Conférences et discours 1936-1958*
6373. Pierre Raufast   *La variante chilienne*
6374. Philip Roth   *Laisser courir*
6375. Jérôme Garcin   *Nos dimanches soir*
6376. Alfred Hayes   *Une jolie fille comme ça*
6377. Hédi Kaddour   *Les Prépondérants*
6378. Jean-Marie Laclavetine   *Et j'ai su que ce trésor était pour moi*
6379. Patrick Lapeyre   *La Splendeur dans l'herbe*
6380. J.M.G. Le Clézio   *Tempête*
6381. Garance Meillon   *Une famille normale*

6382. Benjamin Constant   *Journaux intimes*
6383. Soledad Bravi   *Bart is back*
6384. Stephanie Blake   *Comment sauver son couple en 10 leçons (ou pas)*
6385. Tahar Ben Jelloun   *Le mariage de plaisir*
6386. Didier Blonde   *Leïlah Mahi 1932*
6387. Velibor Čolić   *Manuel d'exil. Comment réussir son exil en trente-cinq leçons*
6388. David Cronenberg   *Consumés*
6389. Éric Fottorino   *Trois jours avec Norman Jail*
6390. René Frégni   *Je me souviens de tous vos rêves*
6391. Jens Christian Grøndahl   *Les Portes de Fer*
6392. Philippe Le Guillou   *Géographies de la mémoire*
6393. Joydeep Roy-Bhattacharya   *Une Antigone à Kandahar*
6394. Jean-Noël Schifano   *Le corps de Naples. Nouvelles chroniques napolitaines*
6395. Truman Capote   *New York, Haïti, Tanger et autres lieux*
6396. Jim Harrison   *La fille du fermier*
6397. J.-K. Huysmans   *La Cathédrale*
6398. Simone de Beauvoir   *Idéalisme moral et réalisme politique*
6399. Paul Baldenberger   *À la place du mort*
6400. Yves Bonnefoy   *L'écharpe rouge suivi de Deux scènes et notes conjointes*
6401. Catherine Cusset   *L'autre qu'on adorait*
6402. Elena Ferrante   *Celle qui fuit et celle qui reste. L'amie prodigieuse III*
6403. David Foenkinos   *Le mystère Henri Pick*
6404. Philippe Forest   *Crue*
6405. Jack London   *Croc-Blanc*
6406. Luc Lang   *Au commencement du septième jour*
6407. Luc Lang   *L'autoroute*
6408. Jean Rolin   *Savannah*

6409. Robert Seethaler — *Une vie entière*
6410. François Sureau — *Le chemin des morts*
6411. Emmanuel Villin — *Sporting Club*
6412. Léon-Paul Fargue — *Mon quartier et autres lieux parisiens*
6413. Washington Irving — *La Légende de Sleepy Hollow*
6414. Henry James — *Le Motif dans le tapis*
6415. Marivaux — *Arlequin poli par l'amour et autres pièces en un acte*
6417. Vivant Denon — *Point de lendemain*
6418. Stefan Zweig — *Brûlant secret*
6419. Honoré de Balzac — *La Femme abandonnée*
6420. Jules Barbey d'Aurevilly — *Le Rideau cramoisi*
6421. Charles Baudelaire — *La Fanfarlo*
6422. Pierre Loti — *Les Désenchantées*
6423. Stendhal — *Mina de Vanghel*
6424. Virginia Woolf — *Rêves de femmes. Six nouvelles*
6425. Charles Dickens — *Bleak House*
6426. Julian Barnes — *Le fracas du temps*
6427. Tonino Benacquista — *Romanesque*
6428. Pierre Bergounioux — *La Toussaint*
6429. Alain Blottière — *Comment Baptiste est mort*
6430. Guy Boley — *Fils du feu*
6431. Italo Calvino — *Pourquoi lire les classiques*
6432. Françoise Frenkel — *Rien où poser sa tête*
6433. François Garde — *L'effroi*
6434. Franz-Olivier Giesbert — *L'arracheuse de dents*
6435. Scholastique Mukasonga — *Cœur tambour*
6436. Herta Müller — *Dépressions*
6437. Alexandre Postel — *Les deux pigeons*
6438. Patti Smith — *M Train*
6439. Marcel Proust — *Un amour de Swann*
6440. Stefan Zweig — *Lettre d'une inconnue*
6441. Montaigne — *De la vanité*
6442. Marie de Gournay — *Égalité des hommes et des femmes et autres textes*

6443. Lal Ded   *Dans le mortier de l'amour j'ai enseveli mon cœur...*

6444. Balzac   *N'ayez pas d'amitié pour moi, j'en veux trop*

6445. Jean-Marc Ceci   *Monsieur Origami*

6446. Christelle Dabos   *La Passe-miroir, Livre II. Les disparus du Clairdelune*

6447. Didier Daeninckx   *Missak*

6448. Annie Ernaux   *Mémoire de fille*

6449. Annie Ernaux   *Le vrai lieu*

6450. Carole Fives   *Une femme au téléphone*

6451. Henri Godard   *Céline*

6452. Lenka Horňáková-
      Civade   *Giboulées de soleil*

6453. Marianne Jaeglé   *Vincent qu'on assassine*

6454. Sylvain Prudhomme   *Légende*

6455. Pascale Robert-Diard   *La Déposition*

6456. Bernhard Schlink   *La femme sur l'escalier*

6457. Philippe Sollers   *Mouvement*

6458. Karine Tuil   *L'insouciance*

6459. Simone de Beauvoir   *L'âge de discrétion*

6460. Charles Dickens   *À lire au crépuscule et autres histoires de fantômes*

6461. Antoine Bello   *Ada*

6462. Caterina Bonvicini   *Le pays que j'aime*

6463. Stefan Brijs   *Courrier des tranchées*

6464. Tracy Chevalier   *À l'orée du verger*

6465. Jean-Baptiste
      Del Amo   *Règne animal*

6466. Benoît Duteurtre   *Livre pour adultes*

6467. Claire Gallois   *Et si tu n'existais pas*

6468. Martha Gellhorn   *Mes saisons en enfer*

6469. Cédric Gras   *Anthracite*

6470. Rebecca Lighieri   *Les garçons de l'été*

6471. Marie NDiaye   *La Cheffe, roman d'une cuisinière*

6472. Jaroslav Hašek   *Les aventures du brave soldat Švejk*

6473. Morten A. Strøksnes   *L'art de pêcher un requin géant à bord d'un canot pneumatique*

6474. Aristote   *Est-ce tout naturellement qu'on devient heureux ?*

6475. Jonathan Swift   *Résolutions pour quand je vieillirai et autres pensées sur divers sujets*

6476. Yājñavalkya   *Âme et corps*

6477. Anonyme   *Livre de la Sagesse*

6478. Maurice Blanchot   *Mai 68, révolution par l'idée*

6479. Collectif   *Commémorer Mai 68 ?*

6480. Bruno Le Maire   *À nos enfants*

6481. Nathacha Appanah   *Tropique de la violence*

6482. Erri De Luca   *Le plus et le moins*

6483. Laurent Demoulin   *Robinson*

6484. Jean-Paul Didierlaurent   *Macadam*

6485. Witold Gombrowicz   *Kronos*

6486. Jonathan Coe   *Numéro 11*

6487. Ernest Hemingway   *Le vieil homme et la mer*

6488. Joseph Kessel   *Première Guerre mondiale*

6489. Gilles Leroy   *Dans les westerns*

6490. Arto Paasilinna   *Le dentier du maréchal, madame Volotinen et autres curiosités*

6491. Marie Sizun   *La gouvernante suédoise*

6492. Leïla Slimani   *Chanson douce*

6493. Jean-Jacques Rousseau   *Lettres sur la botanique*

6494. Giovanni Verga   *La Louve et autres récits de Sicile*

6495. Raymond Chandler   *Déniche la fille*

6496. Jack London   *Une femme de cran* et autres nouvelles

6497. Vassilis Alexakis   *La clarinette*

6498. Christian Bobin   *Noireclaire*

6499. Jessie Burton   *Les filles au lion*

6500. John Green   *La face cachée de Margo*

Composition Imprimerie Floch.
Impression Novoprint
à Barcelone , le 20 août 2018
Dépôt légal : août 2018
1er dépôt légal dans la collection : avril 2006.

ISBN 978-2-07-032102-5./Imprimé en Espagne.